神様の子守はじめました。

霜月りつ

この作品はフィクションです。
実在の人物・団体・事件などに
一切関係ありません。

神様の子守はじめました。

目次

第一話◆神子たち、孵る　5
第二話◆神子たち、名前をもらう　69
第三話◆神子たち、公園デビューする　121
第四話◆神子たち、遊ぶ　181
第五話◆神子たち、里帰りする　213

第一話

神子たち、孵る

序

「お願いします！　どうか正社員にしてください！　羽鳥梓（はのとりあずさ）、豊島区東池袋三の〇の〇石川荘（いしかわそう）205号室です。よろしくお願いします！」

梓はパンパンと柏手（かしわで）を打つと深く頭を下げた。下げた頭の中は今の願い事でいっぱいだ。

（正社員にしてください正社員にしてください誰か俺を雇ってくださいブラックじゃなきゃどこでもいいですとにかく正社員の肩書きがほしいんです！）

ふと見かけた路地の奥にあった小さな神社。家の近くにこんな神社があるなんて、四年も住んでいるのに気づかなかった。いや、今は神社だけが頼りだから目ざとくなっているのだろう。

企業への面接が四〇件を超えた。今日も面接帰りだが、感触はよくなかった。面接官は手元の梓の履歴書で口元を隠しながらあくびをしていた。きっと駄目だろう。

二月の冷たい風に背中を押されながら、とぼとぼと帰る道の途中、なんとなく覗いた路地の奥に鳥居があったので、引き寄せられるように入ってきたのだ。

しかし、この神社。さびれるにもほどがある。

夕方に近く辺りが薄暗いせいか、ひどく侘しい雰囲気だ。

鳥居は傾き、両脇に祀られているお使いは、磨耗して狐だか猫だかわからなくなっている。お堂も古く塗装はほとんど無く、鈴を鳴らすための鈴緒と呼ばれる紐も真っ黒になっていて、持ったとたんにちぎれた。

それどころか鈴が大きな音を立てて落ちてきてしまった。賽銭箱にいたっては真ん中に穴すらあいている。

しかし不思議なほど清々しい空気に満ちていて、周りの喧噪も聞こえない。

もっとも梓にはそんな空気などわからなかった。とりあえず神社を見つけたからお願いしているだけだ。

思えばいくつの神社に頭を下げただろう。

同じ大学の友人たちが次々に内定をもらっている中、一人だけ取り残されて、年が明けてからはもう神頼みしかないような状況になった。

やはり神社巡りをしていた友人から、神様にお願いするときは自分の名前や住所を口に出して言わないと聞き届けてもらえないよ、と聞いたときにはショックで倒れそうになった。

これまで散々詣でていたのにそんなことはしていなかった。

「だからかー！」

それで反省して、今では個人情報の流出うんぬんも気にせず声に出して名乗っている。

「だけど」

頭を上げた梓は自分の足下に置いていた鈴を手に取った。

「いくらなんでもここには神様はいないかもしれないな」

鈴は地面に落ちたとき付いたのか、黒く汚れている。

梓は賽銭箱の上に腰を下ろすと、その鈴を膝に乗せ、自分のハンカチで汚れを拭ってみた。

「お、」

汚れていた部分が金色になる。

「なんだ、まだきれいなんじゃないか」

三つついていた鈴の一つをごしごし擦ると明るい金の色が戻る。おもしろくなって残りの二つも磨いてみた。

「へえ、きれいなものだな」

鈴を鳴らすための鈴緒は、もともとは赤と白の布を交互にねじってできたもののようだった。残念ながらそれの代わりになるようなものはない。

梓は鈴を西に傾いている太陽にかざしてみた。まぶしいくらいに光っているそれを、しゃんしゃん、と振ってみる。

「どうか正社員になれますように」

「なぜそんなに正社員にこだわるのだ？」

不意に声をかけられ、梓は驚いて顔を上げた。いや、声は後ろからした。が、後ろはお堂（どう）だ。

おそるおそる振り向くと、お堂の入り口にパンツスーツ姿の女性が一人、しゃがみこんでいた。

美人だ。美人だが妙だ。こんなところにいるような女性ではない。

前髪を一房（ひとふさ）くるりと額に落とし、それ以外はすべて後ろに撫でつけた短髪。細身のストライプのスーツの襟からは豪華なフリルのついたシャツブラウスが覗いている。

眉をきりりと黒く描き、目張りも黒々、睫毛は上下とも一センチ以上は伸び、しかもその上にキラキラとしたスワロフスキーが乗り、唇は思い切り赤かった。

ガンガンに飛び出すこの華やかなオーラは、そう、これはタカラヅカだ。

「え、うわっ！」

いつのまに、というよりその人の姿、容貌に、梓は飛び上がった。

「ああ、驚かせてすまない」

女性は立ち上がった梓を見上げた。

「なにやら熱心にやっていたようだったのでな、しばらく見ておった。それ……」

梓は言われて自分の手の中の鈴を見て、あわてて首を振った。

「い、いや、俺じゃないっすよ、俺が取ったんじゃなくて、紐を引いたら落ちてきて、あ、あれ？　俺が取ったことになるのかな？　あ、あのでも悪気があって取ったわけじゃないんです！」

「いや、わかってる。そのうち外れそうだとは思っていたのだ。おまえのせいではない」

「あの、この神社の方なんですか？」

「まあ関係者だな」

「す、すいません。お返しします」

梓は鈴を両手で差し出した。女性はそれを受け取り、つくづくと眺めた。

「ほう、きれいにしてくれたんだな」

「あ、はい。あの、なんか汚れてたんで」

「うん、この汚れはな、人の負の思いがこびりついたものだったのだ。ふつうはなかなかとれないのだがな」

「は？」

「ああ、いや。これは企業秘密だ。ところで」

女性は立ち上がるとお堂の階段を（足元を見ず）三段おりてきて、さきほど梓がしていたように賽銭箱に腰をおろした。

裾の広がったボトムと九センチはあるヒールの靴を高々とあげ、完璧な形で足を組む。

「さきほどの、正社員になりたい、というのは？」

「え、あ、いや、その」

梓はもごもごと口ごもった。就職を神頼みするなど、自分がだめなやつだと公言しているようなものだ。

「はっきり言いなさい！」

ぴしりと言われて梓はひゃあっと背筋を伸ばした。

「すみません！　うち、母子家庭で、田舎にいる母さんを安心させたいんです！　母さんずっとパートで、とにかく正社員じゃないとだめだって子供のときから言われてて、だけど俺だけ内定でてなくて全然安心なんかさせてあげられなくて、こんな時期になっても連絡いれてないからきっともうだめなんだろうって母さん思ってるのにそんなこと全然言ってこなくて、あああ、俺はだめなやつなんですううううっ！」

梓は顔を両手で覆った。見ず知らずの人にここまで言うつもりはなかったのだが、言っているうちに感情が先走って口から言葉が溢れ出てしまった。

「……すみません、今の、忘れてください」

「内定が出ていないというのは、君が就職すべき企業とまだ出会ってないだけだと思うな」

恥ずかしさのあまりしゃがみ込んでしまった梓に、女性が静かに言った。

「どんなものにも縁（えにし）がある。君と正社員の縁はまだ結ばれていないだけだ」

「………」

梓は顔から手を離し、賽銭箱に座っている女性を見上げた。女性は穏やかに微笑んでいる。その全てを許してくれそうなやさしい笑顔に、梓の気持ちも落ち着いてきた。

「ほんと、すみません。騒いじゃって……」

「気にするな。ところで君の望む正社員だが、その企業は一部上場とかの大手企業でないといけないのかな？」

「い、いえ、そんなことありません。小さいところでも文句はいいません。むしろ小さめなほうがこれから伸びるというものです。私がそう考えるのは、私自身が日本の中小企業の底力を引き出したいからです。中小企業には大企業にはない小回りのよさというものが存在すると思います」

ついい、面接のマニュアルが口をついてしまった。

「そうか。就職四季報などには乗っていない会社だとしても大丈夫というわけだな」

「だ、大丈夫です、あ、あの、もしかして、どちらかの会社の方なんですか？」

心臓がどきりと跳ね上がる。もしかして神頼みの効果がこんなところで現れた？　ショーイベント関係の会社でもこのさい問題ない。

「会社というわけではないが、実は人手を探していた。バイト扱いではない。ボーナスも出すし、有給もあるし、社員用の保養地もあるぞ。時間帯は不規則になるかもしれないが、昇進も可能だ。ただ、社会保険関係の保証が労災くらいしかないので、君には国民健康保険に入ってもらわなければならないが」

「え、あ、あの、勤務地は」

「池袋だ」

自宅のある最寄り駅じゃないか。

「給料は手取りで二十四万出そう」

「二十四万！」

大卒の初任給が平均二十一万と聞いている。その額を三万も上回った。

「し、仕事は……っ、仕事はなんです。なにか資格とか、特殊技能とか必要なんですか？」

「資格に関しては合格だ」

女性は手に持った鈴を日差しにかざす。

「これだけきれいに磨けるんだ。君の魂も曇りない」

「え？　あの、清掃関係ですか？」

「いや、」

女性は賽銭箱からおりると、ぐうっと体を曲げて梓に顔を近づけた。

「子育てだ」

　女性の白くなめらかな頬を、西日がうっすらと色づけている。

「え、でも、俺、保育士とか教師の免許なんかは持ってないんですけど」

「大丈夫、そんなものはいらない」

　目の前で女性の眼がキラリと光る。瞳の色が琥珀色であることに、梓はいまさら気づいた。その瞳の中の黒い虹彩が一瞬で大きくなり、瞳全体を、いや、目を、顔を、そして梓の周りの空間を真っ暗にする。

「ええっ！」

　上も下も右も左も。

　深い穴に落ちたような恐怖で梓は腕を振り回した。その腕を掴まれる。

「大丈夫だ、もう着く」

「え」

　と口が声を発したときには、辺りは明るくなっていた。

　いや、明るすぎる。

　さっきまで日が落ちようとしていたのだ。なのに、この明るさはまるで真昼の砂浜みたいに……砂浜？

　足元には白い砂が敷き詰められている。そのずっと先には木製の高い塔。両側には緑の森が広がり、空はどこまでも青かった。

「どこ、ここ――！」

「タカマガハラだよ」

声に振り向くと先程の女性――いや、同じ人物なのか？　短かった髪は地面に着くほど長く伸び、紺色のスーツは今はゆったりとした着物のようなドレスのような裾の長いものになっている。肩にかけた薄い布（あとでそれが領巾と呼ぶものだと知った）がひらひらと風もないのになびいていた。

「あ、ああ、あの……」

「うん、これか？　こっちが元の姿だ。君たちの世界でこの格好をするとコスプレだと思われて写真を撮られてしまうからな。特に君の住む池袋は問答無用でスマホなどに撮られSNSにアップされてしまう。まあ大体はちゃんとは写らないので、それはそれでまた騒ぎになるのだがな」

女性は先に立って歩きだした。あまりの変化に付いていけず、梓はその背中を見送るだけになる。

「タカマガハラって……あっ、あれか、板橋区の方にある――」

「それはおそらくタカシマダイラのことやね。最初と最後の文字しかあっとらんが」

別な声がかかった。

振り向くと、車椅子に乗った白っぽい作業着に麦わら帽子の男性がいた。二〇代後半といったところか、日に灼けた肌をして、帽子の下から同じような色の髪を耳の下まで伸ばし、首にはタオルを巻いていた。どうみても農家のお兄さんだ。車椅子に乗っているのでなければ。

「ああ、彼は久延毘古だ。下界に関してはいろいろと物知りでな、わたしのよきアドバイザーだ」

梓を連れてきた女性が振り向いて紹介する。

「いや、そんなことより、ここはいったいどこなんですか！」

「そんなことよりって、言われた……」

車椅子の男性が地味にショックを受けている。

「だからタカマガハラだ。知らぬのか？」

「し、知りません！」

梓の言葉を聞き、クエビコがタオルで顔を拭きながら長いため息をつく。

「ながかわしいこっちゃ。日本人たるもの、自分の国の神が棲まう場所も知らんちゃあ」

かなりなまっているが聞き取れないことはない。

「まあ、そういうな、クエビコ。戦前と違い、日本書紀も古事記も読まれなくなって久しい」

なんだろう、これは。

さくさくと白い砂の上を目の前の巨大な塔に向かって歩きながら、梓は必死に考えていた。

　奇妙な着物を着た美女と、妙な言葉をしゃべる車椅子の作業着の人と、見たこともない場所を歩いている。

　よく見ると、辺りに数人いるみたいだが、たいていは美女と同じ奇妙な着物……、いや、待て、あの白い服。あれは見たことあるぞ、あれは確か……。

「オオクニヌシ、とか……」

「え？　オオクニヌシ？」

　美女が反応する。

「どこに？　あいつ帰ってたのか？」

「いやぁ、今の時期ばまぁだお忙しいはずやけど、どこに？」

　二人に問われて梓はおずおずと、近くに見える白い服に髪をドーナツのような形に結（ゆ）っている男を指さした。

「ああ、あれはオオクニヌシではないよ。そうか、下界ではあれがオオクニヌシの姿だと思われているのだったな。だがあれはこの世界では一番スタンダードな、いわば普段着だよ。まあ中にはこのクエビコのように常に下界の服を愛用しているものもいるが」

「作業着というものは非常に機能的なんやちゃ。しかもこれは日本の東（とう）レが開発した、防汚加工テキスタイルテクノクリーン。汚れにくさと業界最高水準の汚れの落ちやすさを実現した、という優れものながや。なんで下界からあがってきても、さっとはたくだけで汚れが落ちるがやちゃ」

「下界……」

二人の会話を聞いていて、うすうす理解できたことがある、いや、理性では絶対理解したくはないのだけれど。

「あの」

「なんだ？」

「まさかとは思うのですが、ここって……いわゆる天……国というところなのでは」

「ニュアンスは違うがまあ神の国という点では同じかな？」

女性はにこやかに答えた。

マージーでー!?

一

「ご苦労だったな、改めて挨拶しよう、羽鳥梓」

　梓は、塔の中の一室に案内された。窓も照明もない部屋だったが、壁全体がぼんやりと発光しているように明るい。床から直接生えたキノコのような椅子を勧められ、腰を下ろすと柔らかく腰全体が包まれる。

「わたしはアマテラス。正式には天照大神だが、気軽にあっちゃんと呼んでもよいぞ」

「やめてください、アマテラスさま」

　クエビコが低い声を出した。

「なぜだ、下界では人気があるのではないか。わたしだって神世の世界ではセンターだぞ」

「元AKB48のセンターと同列で語るところが間違っとるがやちゃ。前田敦子嬢がどんなに苦労してあの地位を得たと思っとんがけ」

「なんだ、それは。わたしだってそれなりの苦労はしておるわ」

「兄のツクヨミさまが引きこもりで弟のスサノオさまがヤンキーだったおかげで天下をとっただけやねか？」

「クエビコひどいっ、わたしの苦労をご家庭の事情みたいに一言でかたづけてっ！」

　延々とコントが続きそうな気配だったので、梓はおそるおそる手を挙げた。

「あのー」

「なんだ！」

　二人から睨まれ、ひっと息を飲む。しかしここはなんとしても言わなければならない。

「ま、前田敦子さんはいいですよね！」

「おおっ、わかってくれっけ！」

クエビコはさっと車椅子を動かして、梓の手を取った。

「先日からはじまったドラマでもかわいかったですよね」

「おらは少し前の映画がお気に入りやちゃ」

しばらくの間、梓とクエビコは前田敦子情報で盛り上がった。

「アマテラスさま、おらはこの青年気に入ったちゃ」

すっかり打ち解けた様子のクエビコが梓の肩を抱いて言った。

「下界のこの年頃の青年なら誰だってＡＫＢくらい知っている。羽鳥梓が特別なわけではない」

「あの、俺、名前名乗りましたっけ」

「おお、あの神社で名乗っていたではないか。住所も知っておるぞ」

ああ、やっぱり神社では名前と住所を言うべきなのだ。

「アマテラス………さまのお名前はさすがに俺も知ってます。有名な神様ですよね」

「うむ、センターだからな」

「その神様が………俺を雇ってくださるんですか？」

「そうだ。さっきも言ったが社会保証はないが、よいか？」

「お、お給料はどうやって……まさか竹を割ったら小判がでるとか、畑をほったら小判が出るとか」

「銀行振込だが」

アマテラスはあっさりと言った。

「銀行振込ですかっ？」

「うむ、銀行振込は楽でよいな。昔のように御告げを聞かせたり奇跡を現したりする手間もなく、しかも、最近ではインターネットダイレクトで振り込めるようになったからの」

どうやって口座開いたんだろう、とは聞かなかった。振込元がどうであろうと、銀行からのお金なら木の葉や貝殻ではないはずだ。

「そ、それで先程子育てとおっしゃってましたが」

「うむ」

アマテラスがうなずくと、クエビコが車椅子に乗った膝の上にバスケットを乗せて、梓の前にやってきた。

「これは……」

バスケットの中に四つの卵が入っていた。それぞれが紅、青、白、そして鈍色に薄く輝いている。鶏の卵よりはかなり大きい。駝鳥クラスか。

「これは四神の卵だ」

「しじん……？」

「東西南北は知っているな？」

「え、そりゃあ――」

「その東西南北、それぞれを守る神がおる。東は青龍。その名の通り青い竜の姿をしておる」

アマテラスはそう言って薄青色の卵を手にした。それをテーブルの上に置く。

「西は白虎、白い虎だ」

真珠のような艶やかな卵がテーブルに置かれた。

「南は朱雀だ。真っ赤な孔雀のような姿だ。孔雀と違い、空も飛べるぞ」

炭の熾火のように中央が光っている薄紅の卵。

「そして北は玄武。亀と蛇が合体した姿をしておる」

最後に置かれたのは鈍色の重そうな卵だった。

「神も永遠ではない、力を失えば消滅する。だが四神が失われればその土地自体が滅んでしまう。なので、四神だけは代替わりを常に用意しておくのだ。この卵たちは次の世代の神なのだが、いっこうに生まれようとせぬ。そろそろ孵らないと……」

「か、孵らないと？」

「――ヤバい」

梓はごくりと息を飲んだ。アマテラスの俗っぽい言い方が、却って危機感を生々しく伝えている。

「おらたちもいろいろと手ば尽くしたがやけど卵は孵らん。だが以前にもこういう危機はあったがや。そのときの記録では、人間に孵させるということになっとったがやちゃ」

クエビコがなにやら分厚いファイルのようなものをめくりながら言った。

「しかし、人間の手によって孵った場合は、成人するまでその人間が育てなければならんがやちゃ」

「ちょ、ちょっと待ってください！」

さすがに梓は叫んだ。

「成人するまでって、そんな、俺、結婚もしてないのに、ていうか、彼女もいないのに子持ちになって、それで大きくなるまで育てろっていうんですか？」

「安心しろ」

アマテラスは梓の両肩を押さえた。

「孵ったら成長は早い。ほんの七年ほどだ」

「七年っていっても……」

「企業に就職すれば四十年ではないか。それに比べれば七年などすぐだ。それに七年経ったらリストラなどと薄情なことは言わんぞ。そのあとも保証する」

「えっ………」

「つまりお前は七年子育てするだけでそのあとも給料は振り込まれる。一生安泰というわけだ。どうだ、条件としては申し分なかろう」

「そ、それは………」

魅力的だ、魅力的すぎる。七年さえ我慢すればあとは遊んで暮らせるというわけか。

いや、まて。

「それだけですか？」

「うん？　なんだ？」

「子育てといっても相手は神様ですよね。人間の子育てとは違いますよね？　なにかその………問題はないんでしょうか」

アマテラスとクエビコは顔を見合わせた。

「うーん、まあ、問題というか、な」

「ちょっとばかし梓くんの体に負担がかかることも………あったりなかったり」

「負担て」

クエビコはまたファイルをぱらぱらとめくった。

「四神が成長するさい、梓くんの精気をちょこっともらう。なのでちょっぴりぐったりしたり、疲れたり、へばったり、疲労したりするかもしれんがやちゃ」

それなんてブラック。

でも、そんな体力関係のことは若さでどうにかなるかもしれない。

「それで勤務地は……さっき池袋っておっしゃいましたね。もしかしてあの神社なんですか？」

「いやあ、住所は豊島区東池袋〇の〇の〇石川荘２０５号室でっす」

自宅じゃねーか！

「基本的に梓くんには四神と一緒にいてもらいたいがや。だから勤務地は梓くんのいる場所ということになるね」

二十四時間勤務か――――！！！

ブラックだ、ブラックすぎる！

「いや、無理です。俺帰ります、帰らせてください」

回れ右した梓の肩を、右側からアマテラスが、左側からクエビコが掴んだ。

「よく考えろ、給料は二十四万だぞ」

「二十四時間でしょー！」

「ボーナスもでるし」

「年中無休なんでしょー！」

「一生安泰だし」

「健康を損なわれるのはいやですー！」

「なによりもあんたは自分の棲む日本を守れるんやぜ」

「いや、俺には無理です、荷が重すぎます」

「お前しかできぬのだ、この哀れな卵たちを放っておくと言うのか、貴様っ」

アマテラスが四つの卵を両手ですくい、梓の胸に押しつけた。

「このままではこの子たちは卵の中で死んでしまうかもしれんのだぞ、そうなった場合、国土は荒れ、痩せて、やがて崩壊してしまう！」

「わ、待って待って、落ちちゃう！」

梓はアマテラスから押しつけられた卵をあわてて抱き抱えた。その腕の中に――

ドクン、と。

「……鼓動？」

腕の中で四つの卵がぼんやりと光っている。そしてトクトクと脈が感じられた。

「卵の中に……」

「そうだ、その中には四体の神の子が、四つの守りが眠っているのだ」

トクン、とまた鼓動を感じた。ほのかな温かさもわかる。

昔、飼っていた猫を思い出す。温かく柔らかな体、早い鼓動。あの猫は失ってしまったけれど、この命はまだ自分の手の中で息づいている。

「俺しかできないって……ほんとですか」

「そうだ」

アマテラスはため息をついた。

「お前を選んだのは偶然ではないのだ。わたしはこれでも何年もかけ、あちこち回ったのだ、四神を託せる人間を探してな。あるときは火の山を超え、あるときは氷の海を超え、荒れた岩山で血を流し、乾いた砂漠で汗も消えた。何百何千の人間をみて、その資格をさまざまな形でテストした。お前の場合はあの鈴だ」

「鈴……」

「お前は汚れていた鈴をためらいなく手にし、その汚れを拭き取った。あれは土や埃（ほこり）の汚れではない、人の恨みつらみなどの負の念だったのだ。負の念は正しき心、人を思いやる情でなくてはぬぐいさることはできぬ。それをお前はきれいに拭き取った……」

梓は腕の中の卵たちを見た。

「羽鳥梓。その子たちに必要なのは、お前の心なのだ」

「お、俺はそんなたいした人間じゃありません。嘘だってつくし、授業さぼったりするし、」

「許容範囲だ」

アマテラスは微笑んだ。あまねく世界を照らす神、極上の笑み。

「羽鳥梓。国土を、日本を救わなくてもよい。だが、この子供たちを救ってはもらえないか」

める。

赤く、青く、白く、鈍く、卵が次々に光る。まるで梓に話しかけるように。梓は心を決めた。

「わかりました」

ぱあっとアマテラスとクエビコの顔が輝いた。いや、全身が光っている。

「そうか、よく決心してくれた、羽鳥梓」

「ありがとうなあ、羽鳥梓くん」

「世話のための支度金はさっそく振り込んでおくからな」

「なにか困ったことがあったらいつでも相談にのりますけえのう」

アマテラスが両手を上げ、万歳と言い、クエビコがその周りを車椅子でくるくる回る。

二人のその喜びように梓もなんだか嬉しくなって一緒に笑う。

「それで、子育てはともかく、この卵の間はどうしていればいいんですか」

「うむ、とりあえずずっと一緒にいてくれ」

「温めろとは言わんちゃ。だけど、必ず視界の届く場所に置いといてくだはれ」

「はい」

クエビコが卵をいれていた籠をくれたので、梓はその中に四つの卵をそっと納めた。

「では羽鳥梓。家へ送ろう」

「……」

　アマテラスが右手の領巾（ひれ）を振った。とたんに梓の姿がその部屋から消えてしまう。

「アマテラスさま」

「なんだ」

　アマテラスは領巾の先をいじりながら答えた。

「火の山氷の海なんか超えておられんよね？」

「うむ」

「岩山も砂漠も行っとらんよね、スイーツ食べ歩きを兼ねて出雲大社（いずもたいしゃ）や高良大社とか、あの池袋の神社も近くにあるどら焼が名物やから、たまたま寄っただけで」

「まあ、全ては縁（えにし）だよ、クエビコ。わたしは梓に会うようになってたし、梓は卵を引き受けるようになっていたのだ。鈴の話は本当だしな」

　アマテラスはにいっと笑う。クエビコはやれやれと頭を振りながら、卵と梓の運命を祈った（アマテラス以外に）。

　梓は――
　気がついたら自宅にいた。一瞬、今までのは夢だったのかと思ったが、膝の上に卵の入ったバスケットがあったので、現実だったようだ。

窓の外を見ると、とっぷりと暮れていた。

「神様に雇われたというわけか……」

株式会社とかじゃなく個人経営ね。社会保証はないけど、生涯の保証付き。お袋にはなんて説明しようかな、有限会社アマテラス、業務内容は子育て……いや、教育関係とか言っておこうか。

バスケットに手を入れ卵を持ってみる。今は温かさも鼓動も感じることはできなかった。

「ほんとに孵るのかな」

温めなくていいと言われたが、少し心配で自分のジャケットをかけてみる。

「なんか疲れた。今日はもう寝よう」

部屋の隅に畳んである布団をばさりと伸ばすと、セーターとデニムをスエットに着替え、中にもぐり込む。枕の上から机の上に乗せたバスケットが見えた。

「……」

ジャケットだけじゃ寒いんじゃないだろうか？　タオルとかかけておいたほうがいいかな？　そうだ、中にセーターを敷いておいたらどうだろう？

梓は起き上がるとセーターを手にバスケットを覗いた。触れると冷たい。

「……この部屋、夜は冷えるんだよな。暖房が電気ストーブだけだし」

節電のため、布団に入ったら消してしまうが。

梓は四つの卵をセーターにくるむとそれを腕に抱えて布団に入った。

「頑丈そうだし……割れないよな」

ぎゅっと抱きしめると、卵同士が擦れて小さく音をたてる。

「無事に孵ってくれよ」

そうささやきながら目を閉じる。アマテラスのことやタカマガハラのこと、短い間のめくるめく体験が頭をぐるぐると回ったが、次の瞬間には、ストン、という感じで眠りに入ってしまっていた。

二

目が覚めて、飛び起きる。あわてて布団をめくると、大丈夫だ、卵は無事だった。

「うん、やっぱり夢じゃないんだ」

梓はバスケットの中にタオルを敷き、卵を順番に入れた。

昨日のような鼓動も感じなければ光りもしない。卵、というより色のきれいな玉のようにも石のようにも見える。

「……孵るのか？　というより生きてるのか？」

タカマガハラで感じたものはなんだったのだろう？　あのときは確かに生きていると思えたのだが。

「大丈夫なのかなあ」

今日も面接がある。少し遠い場所なので、早めに出なければならない。

「卵は……」

一緒にいてやってくれとアマテラスは言っていた。クエビコは目の届く範囲でと。

「仕方ないな」

梓は押し入れからリュックを取り出すと、中に卵を入れた。会社回りの時に持つビジネスバッグにいれると妙な膨らみができてしまうからだ。

「スーツにリュックって変かな……まあでも紺で地味な色だし……」

リュックを肩にかけて外に出ると、刺すような寒さだ。息もいつもより白く尖る。

「さむ……」

「おはようございます、羽鳥梓くん」

声をかけられ振り向いて、梓は思わず大声をあげた。

「うわあっ！」

目の前に案山子(かかし)が立っていたのだ。布でできた顔にマジックで描かれた適当な顔。麦わら帽子に同じ藁でできた髪。藁の胴体に古びた作業着を着て、腰から下は一本の棒だ。両手は真横に伸ばされ、軍手がはめられている。

「な、な、なんで案山子、たんぼでもないのに。ていうか、今しゃべったの案山子……？」

「おら、クエビコやで、梓くん」

「ク、クエビコ……さん？　な、なんで案山子……」

「おらはもともと案山子の神ながや、日本書紀にも記載があるちゃ、〝其少名毘古那神を顕はし白せし謂はゆる久延毘古は、今者に山田の曽富騰といふぞ。此の神は、足は行かねども、尽に天の下の事を知れる神なり。〟ってな」

「ちょ、まって！」

　梓は案山子の口のあたりを手で塞いだ。その背後を通行人が通ってゆく。怪訝な顔で梓と、とくに案山子を凝視していた。

「そ、その格好はまずくないですか？　池袋にはたんぼありませんし」

「そうやね、では」

　案山子はゆっくり左右に揺れ始めた。すると、一揺れするごとに小さくなり、あっというまに手のひらサイズになってしまう。その小ささで梓の手のひらの上にひょいと乗った。

「どうけ？　これならゆるキャラということで、ストラップがわりになるやろ」

「まあ、ギリ、ゆるキャラかな……」

なるほど、案山子か。だから昨日車椅子に乗っていたんだな。一本足じゃ動けないものな。

「ところでなんでここに？」

梓はクエビコを手に乗せたまま歩き出した。

「なぜ、はこっちが聞きたいわ。あんたはアマテラス様に雇われたがに、どうして会社訪問なんか行くがけ」

「えっ、それは………」

「信用しとらんがけ？　おらたちを」

「じ、実はそれも少しはあるんですが………」

「なんやと！」

クエビコは一本足で跳ねだした。

「神を疑うなんて、日本人の信心はそこまで地に落ちたがか！」

「そ、そうじゃなくて、一番の原因はこの卵なんです」

「卵？」

「だって神様たちがいろいろやって孵らなかったんでしょう？　俺が預かるだけで本当に孵るのか不安じゃないですか。孵らなかったら俺は失業ですよ」

「あ………」

クエビコはゆらゆらと揺れた。

「なるほど、案外梓くんもいろいろ考えとるがやね」

「案外ってことはないでしょう」

話しているうちに地下鉄の駅が見えてきた。

「クエビコさん、どこまで付いてくるんです？」

「おお、せっかくだから就活というものを見学しようかと思っとるがやけど」

「ええー？　そんなことしなくても物知りなんでしょう？」

「知識と体験はまた別でな」

改札前まで来て、梓は小声で話しかけた。

「えっと、クエビコさん。地下鉄ですが大丈夫ですか？　けっこう混みますがポケットとかに入りますか？」

「ああ、大丈夫やちゃ」

クエビコはそういうと梓の手からぽーんと肩に飛び乗った。それからするりとコートの内側に滑り込む。

「このあたりにおるっちゃ」

襟元から声がした。なんだかくすぐったいような気もしたが、仕方がない。

普通の通勤時間とほぼ同じ時間帯なので、電車はかなり混んでいた。ドアから入ったとたん、ぎゅうっと押される。梓はとっさにリュックを前に回して両手で抱きしめた。

冬の着膨れラッシュと暖房で車内の温度はかなり高い。たちまち首筋に汗が浮かんだ。

「……梓くん」

すぐそばで小さな声がした。クエビコだ。どうも襟の後ろのあたりにいるようだ。

「梓くん、大変やちゃ」

「え？」

「チカンや。梓くんの右前。一人置いてスーツの野郎。前にいる女子にさわっとる」

「ええっ」

思わず声を上げたが近くにいた男がちらっと梓をみただけで、ほかに反応はない。

「どうすっか」

「ど、どうするかって、そんな、クエビコさん神様なんだから助けてあげてくださいよ」

「おらにはそんな力はないちゃ。おらは下界のことは知っとるけど、直接干渉はできないんがや」

「そんな」

梓は体を伸ばすようにして右前の様子を伺った。確かにスーツの男の前に社会人らしき女性がいて、うつむいている。手は吊革を握っていたが、その手は間接が白くなるほど強く握られ、ぶるぶる震えていた。

（どうしよう）

彼女がチカンにあっているのを知ってるのはクエビコと梓だけだ。助けるべきか？

でも。

（こんな場所で大声を上げるのは恥ずかしいし……それにチカン捕まえたらたしか降りて駅で事情とか聞かれるんじゃなかったっけ）

そんなことをしてたら会社訪問に遅刻してしまう。

今日面接する会社は中規模ながらも勢いのある住宅関係の会社で、梓の希望にかなり近い企業だった。

（チカンなんかに関わって、俺の大事な正社員の道が閉ざされたら……）

「梓くん」

クエビコの声がせっぱつまってきた。

吊革の女性はますますうつむいている。スーツ姿の男は彼女の背中にぴったりとくっついていた。

（でも、でも）

そのときだ。

両手で抱えていたリュックの中で、どくんと、卵が大きく脈打った。

（卵が！）

タカマガハラで受け取って以来の鼓動だった。

(そうだ、この手の中にいるのは子供たちじゃないか)

かっと体が熱くなる。

(子供に……かっこわるいとこ見せられないよな)

梓はきっと顔を上げた。

「すいません、通してください」

梓は声を上げ、前の人を押し退けようとした。途端に不快気(ふかいげ)な顔をむけられ、少しひるむ。だが。

「どいて。通して」

それをむりやり押し退け、体をねじこんだ。そしてスーツの男の肩を掴んだ。

「やめてください」

スーツの男はぎょっと振り向く。

「な、なんだ」

「やめてください、その人いやがってます」

女性からむりやり引きはがすと、うつむいていた女性が顔をあげた。目が潤み、今にも泣きそうだった。

「なんだ、おまえ。何を言いがかりを」

「次の駅で降りてください」

梓と男性の周りに隙間ができる。男性はきょときょとと周囲を見回した。

「何を言ってるのかわからないよ、でたらめはやめろ、新手の恐喝か」

「この人、チカンです」

女性が小さな声で言った。男の顔がみにくく歪んだ。

「嘘だ！　冤罪だ！」

電車が駅に止まった。

ドアが開くと男性は強引に降りようとした。

「待て！」

梓が手を伸ばした瞬間、その肩からリュックが外れ、すごい勢いで宙を飛んで男の背中にぶつかる。男はそのままホームに倒れた。

「卵が！」

梓はあわてて駆け寄るとリュックを拾い上げた。

「い、今これひとりでに飛んでいったよな……」

駅員が飛んでくる。

「どうしたんですか！」

「あ、この人……」

梓が起きあがろうとしている足下の男に目をやったとき。

「チカンや。この野郎、電車の中で女子をさわっとたがや！」

クエビコが梓の胸元から叫んだ。梓はあわててリュックを前に抱える。

「女の人？」

「……わたしです」

梓の後ろから女性がおずおずと近づいてきた。一目でリクルートスーツとわかる、黒の上下を着ている。梓と同じ、就活組だ。

「大丈夫だった？」

梓が言うと女性は顔を赤くしてうなずいた。

「助けていただいてありがとうございました」

スーツの男性は駅員に抱えあげられている。

「くそっ、暴力だ！　こいつ暴力ふるいやがった、俺を殴りつけたんだぞ！」

男は梓と女性を睨みつけた。梓は女性の前に立ち、睨み返す。

「やかましい！　貴様、今日だけでなく、昨日の八時四十五分の東西線、おとついの十八時二十三分の日比谷線でも女子のけつ、さわっとったろうが！」

クエビコがまたわめいた。梓はぎゅうっとリュックを胸に押しつける。

「な、なんでそれを」

男の顔が青くなる。

「一緒に来てもらえますか？」

駅員が冷静に対応し、男の肩をしっかりと掴む。男は駅事務所に入るまで、口汚く罵っていた。

事務所からでたときには一時間半もたっていた。

スーツの男は警察に連れていかれ、詳しく聴取されるらしい。余罪はまだまだありそうだ。

「ありがとうございました」

女性は——名前は秋山さんと聞いた——梓に何度も頭を下げた。

「いいんです、もっと早く声をかければよかった」

梓は時計を見た。今から行っても確実に遅刻だが、せめて事情を話そうと思った。

「じゃあ、俺、会社訪問があるので」

「はい」

秋山さんは家に戻ると言った。梓と同じく会社訪問だったそうだが、今はショックでその気力がないと語った。

「会社、受かるといいですね」

秋山さんが微笑んで言う。梓はうなずいて、ホームに向かって走った。


訪問先には実は駅事務所から連絡をいれておいてもらった。

なので梓には淡い期待があった。

チカンから女性を救った勇気ある若者ということで、面接官から「すばらしい、君のような人材を欲していたんだよ、面接？　そんなものいらないよ、すぐに入社だ」くらいは言ってもらえるんじゃないかと。


しかし。


「聞いてますよ、羽鳥梓さん。地下鉄でチカン行為を働いたそうじゃないですか」

甘くなかった。それどころかどんな伝わり方をしたのか、梓がチカンで捕まったことになっているらしい。

「ち、違います！　俺はチカンにあってる人を……」

「申し訳ないが、うちではそういう人材は求めていないので、お引き取りいただきたい」

「違います！　話を聞いてください！」

受付に降りてきてくれた人事部らしい初老の人は、梓の必死の声にも背を向けて、さっさとエレベータに入ってしまった。

受付の女性たちも、梓のことをまるで腐った魚でも見るような目で見ている。

「お、俺は違います、違うんです」

梓は受付の女性たちにそう言うと、走って入り口に向かった。

三

もう昼過ぎていた。

梓はまっすぐ家に帰る気になれず、池袋の駅のそばの公園にいた。ベンチに座って公園の中で遊ぶ子供たちを見つめる。

「梓くん……」

コートの襟からクエビコがひょいと降りて、梓の膝の上で回った。

「すまんかった。おらがチカンなんかを見つけたから……」

「……」

ゆらゆらと小さな案山子が膝の上で揺れている。

「仕方ないよ。クエビコさんは下界のことは全部知ってるんでしょう？」

「ああ……」

「それに俺、この子たち抱いてたからね。逃げるわけにいかないと思ったんだ」

梓は腹の前に抱えているリュックを撫でた。中を覗いても卵に輝きはないし、あれから鼓動も感じない。

「たとえ気のせいだったにしても……」

梓はリュックをベンチに置くと、立ち上がって自販機(じはんき)に向かった。

「コーヒー飲むけど、クエビコさんもいる？」

「なら、カフェオレもらうわ」

缶コーヒーとカフェオレ缶を買って振り向くと、ベンチには麦藁帽(むぎわらぼう)に作業服のクエビコ（人間型）が座っていた。

「案山子では頂(いただ)けんでな」

クエビコが四角い顔でにっと笑う。梓もつられて笑った。こわばっていた顔が、やっと少し柔らかくなった気がした。

二人で座ってコーヒーを飲む。腹の中に温かな固まりが落ちて、それがじんわりと広がっていった。

「落ち込んでても仕方ないや。また明日も会社訪問あるし」

「梓くんはやっぱりこの卵が孵らないと思っとるがけ」

「というより……自信が……」

缶コーヒーを持っていて暖かくなった手で触れると、卵は石のような冷たさだ。

「すみません。俺まだ決心が……」

「そっか」

ぐいっとコーヒーをあおって飲み終わり、梓は缶を少し離れたスチール製のゴミ箱に投げた。

カーンと音がして、ゴミ箱の縁に当たって跳ね返る。

「あーあ」

仕方なく立ち上がって缶を拾い上げた。気がつくと周りにいくつも缶が落ちている。

梓はその缶も拾い上げ、ゴミ箱に捨てた。

よく見ると、公園のそこここに缶や弁当のカラやビニール袋が落ちている。子供たちが走り回っている足下にもひしゃげた缶が転がっていた。

梓は背を屈めて手近のゴミを拾い上げた。

「梓くん？」

クエビコが呼んだが、梓は答えずほかのゴミも拾った。手近のものだけでなく、足を伸ばしてほかのベンチに落ちているゴミも。

梓は三〇分ほどゴミ拾いを続けた。

何度目か往復して戻ってくると、ゴミ箱の側に小さな子供が二人いた。手の中に空き缶を持っている。梓を見て、それをゴミ箱に捨てた。

「ありがとう」

梓はお礼を言った。そのゴミがビール缶だったので、彼らのゴミでないことはわかっていた。

子供たちははにかんで走っていった。

「思いだしましたよ」

梓はパンパンと手を払い、クエビコのいるベンチに戻った。

「俺も子供の頃、ゴミを拾ってゴミ箱にいれたら、しらない大人の人がありがとうって言ってくれたんです。それから俺、道のゴミとか拾っていたんですけど、少し大きくなってから、友達に変だって言われたんです」

「変だ、って?」

「ええ。梓のいい子ぶりっこって。人の捨てたゴミなんか拾って汚いって。俺は変なことしているつもりはなかったんですけど、普通はやらないんだって、そのときわかって。それから人の目が怖くなって、ゴミを拾わなくなったんです」

「変じゃねえだよ」

　クエビコは怒ったように言った。

「ちいとも変じゃねえだ、梓くんはいい子なだけだ」

「でもね、人の目を気にしてそういうことやめてしまった俺って……」

　梓は腰に手をあて、空を仰（あお）いだ。

「ちっちぇー人間だなあ……」

「梓くん」

「——クエビコさん」

　梓はベンチに戻るとリュックをとりあげた。

「すみません。やっぱり俺には無理です。こんな器（うつわ）の小さな人間には、子育てなんてできません。まして神様なんて」

　そう言ってクエビコに渡す。

「誰かもっと心の広い、立派な人にお願いしてください」

「そ、そんな」

　クエビコは片足で器用に立ち上がり、梓にリュックを押しつけた。

「いまさら無理やちゃ。そんなこと言わんとたのむちゃ、梓くん」

「俺には無理です、チカンに間違えられてもちゃんといいわけもできないし、正しいことを正しいともいえないんです。いつまでも心を決められなくて未練たらしく会社訪問なんかしちゃうし、そんな俺が――」

梓がぐっとリュックを押し返そうとしたとき、手の中でリュック自体が生き物のように大きく身震いした。

「えっ!?」

どくん、と確かに震えている。

どくん、どくん、と力強く脈を打っている。

「う、うごいたちゃ」

クエビコが目を丸くした。

リュックのふたが開き、中の卵が輝いているのが見える。赤と青と白と鈍色の光。

その光が。

さあっとまっすぐ空に向かって立ち上った。光は空中で弧を描くと、虹のような姿になり、そのまま下から消えていった。

「わあっ」と子供たちの歓声がした。いつのまに来たのか、梓とクエビコの周りに子供たちが四、五人集まっている。

「今のなに？」

「虹なの？　おにいちゃん、虹つくれるの？」

「もっかい出して」

子供たちはきゃあきゃあ言いながら、梓に向かって小さな花のような手を差し伸べている。

「梓くん、虹や」

クエビコが嬉しそうに言う。手をたたいてぴょんぴょんと跳ね回った。

「虹はおめでたい証（あかし）やちゃ。卵たちが梓くんを認めたがやちゃ。梓くんと一緒にいたいと言うとるがやちゃ」

「お、俺……」

リュックの中で卵はまだ輝いていた。

「俺なんかで、……いいんでしょうか？」

梓はしゃがみこみ、リュックのふたをあけた。四色の光があふれ、子供たちが嬉しそうに笑う。

「きれーい」

「ひかってるー」

「魔法みたーい」

子供たちはリュックに手をいれて卵を撫でた。卵の光は薄れることなく、力強く輝いている。

「梓くんがいいがやちゃ」

クエビコが笑う。

「梓くんは選ばれたんやちゃ。アマテラスさまでもなく、おらでもなく、子供たちに」

公園のあちこちから母親たちが駆けつけて、あわてて怪しげな男二人から子供を離す。

梓はリュックのふたを閉めると、それを肩にかけて立ち上がった。

「……わかりました。俺、明日の会社訪問断ります。アマテラス様のお仕事、この子たちの面倒を見ることに決めました」

「ありがとう、梓くん！」

クエビコが梓の手を力強く握った。

四

翌朝。

梓はいつもよりゆっくり起きた。会社訪問は昨日のうちに断っておいたので、今日の予定は何もない。

朝食をとると、リュックに卵を詰めて外へ出た。

卵は昨日からずっと光っている。さわると暖かく、時折脈も感じることができた。

生きている、と感じられることが嬉しかった。

途中のスーパーで箒とちりとりとウエットシートを買い、梓が向かったのはアマテラスに会った神社だ。

とりあえずお勤めとして、ここをきれいにしようと思ったからだ。

お堂に着くと、昨日梓が磨いた鈴が、お堂の前につけられていた。あいかわらず鈴緒がないので鳴らせないが。

箒で社のまわりを掃き、玉砂利の間に延びている雑草を抜く。

お堂や向拝をウエットシートで拭き始めたが、一〇枚や二〇枚では足りなかった。

「やっぱりバケツに雑巾だよなあ。でもこのあたりに水を汲む場所があるのかな」

家から運んでくるしかないかもしれない。

「それから鳥居と賽銭箱を直すか。っていうか、この神社誰か管理してんのかな。俺が勝手にやってもいいのかな」

お堂の扉には緑青まみれの錠前がかかっている。これを開けなければ中の手入れもできない。

「鍵ってやっぱり管理の人が持ってるんだよな」

格子戸（こうしど）に顔を押し当てても中は暗くてよく見えなかった。

「そこはアマテラスさまが祀られていたのよ」

穏やかな女性の声に振り向くと、小柄な老婆（ろうば）が立っていた。もこもことした毛糸のコートに埋もれている。

「あ……」

「お掃除してくれたのね、ありがとう」

老婆はお堂に向かって一礼すると、二度柏手を打ち、また二回、礼をした。

「この神社もね、小さいけれど昔は人が大勢お参りしていたのよ」

梓に向かってにっこりする。

「そうなんですか。あの、管理している人はいるんでしょうか？」

「どうかしら。神主さんがお年を召して辞められてから、代わりの方は来ていないみたいね。普通は他の神社の神主さんが兼任していたりするけれど、分霊（ぶんれい）されていた神様をお返ししてしまったから」

「分霊？」

老婆の言っていることは梓には知識がなくてよくわからない。

「詳しいことは神社庁というところがあるから、そこで聞くといいかもしれないわね」

「神社庁ですか……」

「でもきれいにしてもらってお社も嬉しくないわけがないわ。まあ普通はぬるま湯で拭くんですけれどね」

「あっ、すいません」

梓はあわてて手に持っていたウエットシートを背中に隠した。

「いいのいいの、そういうアタシだって、気にはしてたのになかなかお掃除できなくて」

老婆は梓が拭いた柱や向拝に手を触れた。

「あなたはこの近所の方？　アタシは二丁目の山本って言うんだけど」

「あ、はい。三丁目の石川荘に住んでます、羽鳥っす」

山本さんは辺りをぐるっと見回した。

「昔はねえ、このへんもこんなに建物は立ってなくて、この路地の両脇も広くって、お祭りのときなんか、たくさんの屋台が出たものなのよ」

「へえ……」

山本さんの視線に釣られ、梓も路地に目をやった。

「子供の頃はお祭りが楽しみだったわ。春祭り、夏祭り、秋祭り、そしてお正月……いつだってこの神社はアタシたちの生活と一緒にあったの」

「俺も子供の頃、お祭りにいったことありましたよ」

「屋台で遊んだ？」

「はい、スーパーボールすくいとか、あんず飴とか」

「わたあめにかたぬき、お面屋さんや風鈴屋さん」

「お好み焼きとか、焼きそばとか金魚すくいっすね」

「懐かしいわあ」

ふと、呼ばれた気がして、梓は振り向いた。そこには地面に置いたリュックしかなかったのだが、今それが内側から光っている。

「あ……」

あわててそれを取りにいき、肩紐をもったとき、背後で山本さんの小さな声があがった。

振り向いて、驚いた。

今まで狭い路地だった場所が、広く明るく開かれ、その両脇にたくさんの屋台が並んでいたのだ。

「こ、これって……」

「まあ、……まあ……」

山本さんがよろよろと二、三歩前に出る。

「昔みたいだわ、アタシが子供の頃と同じ、にぎやかなお祭りの」

どこかで笛の音もなっている。わっしょいわっしょいという神輿の掛け声も遠くで聞こえた。ざわざわとたくさんの人が屋台を行き来している。

「ああ、あれ……」

山本さんが両手で口元を押さえた。

「さっちゃん……みちこちゃん……、とし坊も……」

着物を着た子供たちが参道を走ってくる。

「ちづちゃあん！」

子供たちが呼んだ。

「羽鳥さん……羽鳥さん、聞きました？　今アタシの名前を……」

「山本さん、」

「さっちゃんが……みちこちゃんが……」

梓は山本さんの肩に手をかけようとした。だが、その手が空を切る。山本さんの肩がずいぶん下のほうにあったからだ。

「山本さん！」

山本さんは小さな子供になっていた。参道の方で呼ぶ子供たちと同じように、兵児帯を結び丈の短い着物を着て、三つ編みをした幼い子供に。

「山本さん！」

山本さんはチョウチョ結びにした帯をひらひらさせ、駆けてゆく。幼い友達たちの方に。

「さっちゃん、みちこちゃん、とし坊………」

「ちづちゃん、あいたかった、ちづちゃん」

「ちづちゃん、おかあさんもまってるよ」

「ほんと?」

「いこう、わたあめがあるよ………」

子供たちは参道の向こうに駆けてゆく。梓はリュックを抱いたまま動けなかった。

「山本さん――」

瞬いた瞬間、景色は変わっていた。

広い道も屋台もない、さっきと同じ、寂しい神社。

梓は一人で立ち尽くしている。

「山本さん?」

声に出して呼んでみたが、答えるものはなかった。


翌朝も梓は卵をリュックに詰めて、神社に向かった。今度はぬるま湯をペットボトル三本にいれて、バケツと雑巾を持った。

昨日、ゴミや落ち葉を取り除いたせいか、境内の空気は清々しく、梓は思わず大きく呼吸をした。

「よし、やるぞ」

ペットボトルのお湯をバケツにいれ、雑巾を濡らすとお堂を拭く。今回は昨日できなかった軒下まで拭いた。

自作した紅白の鈴緒を鈴に取り付ければ、古く寂れた感じだったお堂が、いきいきと明るくなった。

「あとは賽銭箱と鳥居だけど……こういうのって専門家の仕事だよな。神社庁というところに聞けばわかるかな。でも関係者じゃないのにいいのかな……山本さん、教えてくれないかな」

境内にある磨耗した石のお使いも拭いてみたが、やはりどこが目だか鼻だかもわからない。

「まあこのとがったところが鼻なんだろうけど、それにしては耳がないな。これはなんだか角みたいだし……」

頭の上のとがった部分をさわってみる。

「狐にしてはしっぽが大きい……」

「失礼な。狐などと一緒にするでない」

目の前に黒い羽根が舞う。触っていた部分が黒く長い尾羽に変わった。

炯々（けいけい）とした黄色い瞳、とがったくちばし、赤いとさかに首の下に下がった長い肉垂（にくだ）れ。頭と背の部分は白く、胴体は黒い、立派な尾長鶏（オナガドリ）だ。

ばさりと大きな翼を広げ、その鳥はのどをそらして一声鳴いた。

「コォケ、コッコォオオオ――――！」

「うわあっ！」

梓は鶏に飛びついてそのくちばしを押さえる。

「だめだめだめ、ここ住宅街だから！」

「ふぁなへ！　うえいもお！」

バサバサと梓の腕の中で暴れるたびに黒い羽根が舞う。

「兄者（あにじゃ）、時代が変わったのですよ。今の世では我々の声も八〇デシベルの騒音にしかすぎませぬ」

落ち着いた声に顔をあげると、もう一つのお使いも鶏に変わっていた。梓の抱えている鶏より細身で、全身が白い。尾羽根も少し短かく、全体的にほっそりしている。右目がキラリと光るのをよく見ると、金鎖（きんぐさり）のついた片眼鏡をはめていた。

「鶏……狐じゃなくて、狛犬（こまいぬ）でもなくて……え？　鶏ってアリなの？」

梓が呆然とつぶやくと、もう一羽の方は翼を広げ頭を下げた。

「お初にお目にかかります。アマテラスさまの神使（しんし）の呉羽（くれは）です。そちらは兄の伴羽（ともは）と申します」

「ご、ごていねいにありがとうございます、羽鳥梓です」

昨日、クエビコの案山子（かかし）の姿を見ていたせいか、この鶏もただの鳥ではなく、神様関係だとすぐにわかった。

力のゆるんだ腕の中から、もう一羽の鶏がバサバサと飛び上がり、向拝に降りた。

「鶏、鶏と失敬な。御神鶏（ごしんけい）と言え。まったくものを知らぬ人間じゃ。アマテラスさまのお使いは、昔から我等（われら）なのだ」

「す、すみません」

頭を下げる梓に、呉羽は翼を振った。

「まあまあ兄者。こんなにお堂をきれいにしていただいたのです、よかったではないですか」

「ふんっ」

伴羽は後ろを向いて長い尾羽を揺する。

「あ、あなたたちはこの神社の……」

「ええ、ここが建てられてからアマテラスさまにお仕えしていましたが、今はアマテラスさまはいらっしゃいません。なので我等も眠っておりました。しかし今このように手を入れていただいたので、再び姿を顕（あら）すことができました。お礼を言います」

呉羽は片方の翼を胸に当て、とさかの頭を下げた。

「あ、いえ、どうも……」

「ふん、外見だけきれいになってもアマテラスさまがいらっしゃらなければ、また我らも消えるのみだ」

伴羽が向拝を歩き回りながら不満げに言う。

「いないんですか？　あ、でもこないだそこに」

言いかけた梓を伴羽が遮った。

「あれはたまたま御足を止められただけだ。本来は拝殿の中に分霊のアマテラスさまがいらっしゃった」

「わけみたま？」

「なんていうんですかね、神の分身のようなものです。でもお力は変わらないのですよ。ただ、この神社の神主が辞めたとき、分霊さまも戻されてしまったので、拝殿の中は空なのです」

呉羽が丁寧に説明してくれた。

「そう言えば……」

昨日の山本さんが分霊されていた神様を返した、とか言っていたなと、梓は錆だらけの錠前を見た。ようやく意味がわかった。

「じゃあ神様がいらっしゃらないと、神社としては機能しないんですね」

「そうなのです。このような場所を神社跡地と言います。神様はいらっしゃいませんが、まだわずかに聖地としての力があり、我等も姿を顕すことができます。時折お参りされる方もいるのでその力をいただいてね。今日はきれいにしていただいたお礼を言いたかったんですよ、ねえ、兄者」

呉羽の言葉に、兄の伴羽は気まずそうにのどをならした。

「う、うむ、まあ……な」

梓はあわてて両手を振った。

「あ、でもお礼なら昨日の山本さんに言ってください。お湯で拭くっていうの、教えてもらったんです」

「ああ、あの山本千鶴子（ちづこ）か」

「千鶴子さんですね」

二羽は顔を見合わせコクコクとうなずいた。

「ご存じなんですか？」

「あの女は信心深い。アマテラスさまがいなくなったあとも境内の掃除や水などを供（そな）えてくれていたな、我等の力もあの女によるところが大きい」

「ありがたいことです……」

二羽は空を見上げた。

「今頃はどの空を上っておるやら」

「……え?」

梓は空を見て、それから二羽の神使を見た。

「どういうことです」

「知らぬのか?」

伴羽は物憂げに梓を見やった。

「山本千鶴子は昨日その寿命を迎えた。今日は葬式だ」


梓は二丁目の山本家に駆けつけた。玄関には確かに黒枠の忌中紙が張ってある。

バサバサと羽音をたてて伴羽が山本家の塀に降り立った。

「最近は葬式はせれもにーせんたーとかでやるからな、千鶴子はここにはおらんぞ」

「……そうですね」

背中にしょったリュックの中でかすかな鼓動。梓は手をあわせ、頭をたれた。

「山本さん……」

昨日、路地に並んだ屋台の前を駆けだして行った少女の姿を思い出す。

「ちづちゃん……お祭りに遊びにいったんだ」

永遠に終わらない祭り、友達やおかあさんやおとうさんと一緒に楽しく遊んでいるだろう。

「あれも君たちが見せてくれたんだよね」

背中のぬくもりに声をかけると、答えるようにまた脈打った。

「羽鳥梓」

塀の上に乗った伴羽が名を呼ぶ。

「おまえのその背にあるものは、この国の在り方に関わる重要なものだ。心して世話をするのだな」

「は、はい」

「社を掃除してくれて……その、なんだ。感謝する」

顔をあげると伴羽の白い顔が少し赤くなっているように見えた。

「あっ、にわとりだー！」

母親に連れられた子供たちが塀の上を指さす。梓の背後を通りかかった親子連れだ。

伴羽はさっと翼を広げ空高く飛び上がった。

「にわとり空とんだー！」

子供がはしゃぐがその母親には見えていないようだった。困惑した顔で塀の上と梓を見比べる。梓は曖昧な笑みを浮かべて頭を下げると、山本家を離れた。

空を見上げると伴羽と呉羽の長い尾羽が、くるくると白黒の螺旋を描きながら上っていくのが見えた。

終

自宅へ戻ったとたんにデニムの尻ポケットに入れていた携帯が鳴った。

梓はリュックを畳の上におろすと、折り畳んでいた携帯を開けた。

「はい」

「あ、おはようございます、羽鳥さんの携帯でよろしかったでしょうか？　株式会社イケザワの松浦と申しますが」

「え……」

おとつい訪問した会社だ。チカンをしたと間違えられてけんもほろろに追い出された、あの。

「羽鳥梓さんですね」

「は、はい」

「先日は失礼しました。こちらで正確な情報を掴んでおりませんで、羽鳥さんには本当に失礼な対応をしてしまいまして」

松浦と名乗った男性は流れるように謝罪する。梓は受け付けで対応した初老の男性を思い出した。梓の言うことをはなから聞こうとしなかった人だ。

「実は昨日、秋山さんという女性の方が面接にいらして、羽鳥さんのことを話されたんです。秋山さんのことはご存じですか？」

「秋山……え？　あの、秋山さんですか？」

梓は黒いリクルートスーツの女性の顔を思い浮かべた。

「そうです。偶然秋山さんも弊社に会社訪問にいらっしゃる方だったんです。それでおとつい駅であった話をしていただいて、それで羽鳥さんのことを誤解していたことがわかりました。本当に申し訳ありません」

「……はあ」

そうか、彼女も同じ会社を受ける人間だったのか。なんという偶然だろう。

「それでですね、弊社としましては改めて羽鳥さんに面接にきていただきたいと思っておりまして。いや、これは形式的なもので、ほぼ内定と思っていただきたい」

「え、ほ、ほんとですか？」

梓が携帯に向かってそう叫んだとき。

床に放り出していたリュックが輝きだした。

リュックの中から輝く卵がひとりでにころころと出てきた。そしてそれぞれに亀裂が入る。

「あ、」

「もしもし、羽鳥さん？　聞こえてますか？」

携帯から呼びかける声も、もう耳にはいらない。四色の卵は輝きながら割れ始めた。

「あ、あ、あ」

そして。

あきらかにあの小さな卵に入っていたとは思えない大きさの赤ん坊が。

うーんと四肢を伸ばす赤ん坊、丸まって指をなめている赤ん坊、うつぶせになりばたばたと床をたたく赤ん坊、目を閉じてすうすうと眠っている赤ん坊。

人間の赤ん坊とまったく同じ、まるまるとした手足にぽやぽやと生えた髪、わきわきと動く短い指。

違うのはうっすらと全身が光っていることくらいだ。

「もしもし、羽鳥さん？」

耳元の声に梓はようやく我に返った。

「あ、あの、」

両手で携帯を包んで、梓は答えた。

「ありがとうございます、そう言っていただけて本当に嬉しいです。ほんとにありがたいお申し出なんですけど、」

梓はもう一度赤ん坊たちを見た。眠っている子供以外が全員梓の方を見つめている。まん丸な、大きな目。

「俺、そちらに入社できません」

「な、なぜですか？」

携帯の声に梓は背を伸ばし、はっきりと言った。

「子育て、しなきゃいけないんで！」

羽鳥梓二十二歳。

こうして彼は、青龍、白虎、朱雀、玄武、四柱の神の仮親となったのだ。

第二話

神子たち、名前をもらう

序

「うわーん！」

泣いているのは赤ん坊ではない。羽鳥梓（はのとりあずさ）二十二歳だ。

梓の周りでは四人の赤ん坊が泣いたりぐずったり怒ったり眠ったりしている。

「どうしてミルク飲んでくれないんだよおお！」

梓の周りにはさまざまな種類の粉ミルクと哺乳瓶（ほにゅうびん）が転がっている。梓の悪戦苦闘（あくせんくとう）のなれの果（は）てだ。

会社訪問を断った日から、梓は赤ん坊たちの世話を始めた。

「かわいいなあ……」

卵から孵ったばかりの子供たちは泣きもせず、梓を見上げていた。一人はにこにこと笑いかけ、一人はきょとんとした顔で、一人はしかめ面（つら）で、最後の一人は眠ったままだった。

人間の子供とまるで変わらない。

手足をばたばたさせて寝返りはうったりできるようだが、まだ体を起こすことはできないようだった。

にこにこと機嫌のよさそうな子にそっと手を伸ばすと、指先をぎゅっと掴まれた。

その力強さ。

握られた部分からぎゅうっと熱いような、甘いような、切ないような、なにか痺れる感じが胸に直接入って、全身に広がる。

女性は子供を身ごもったときからお母さんになるが、男性はこうして対面してふれあったときに父親になるのではないだろうか。

この小さく力強い手を、たよりないけれど大きな命を守りたいと思うのではないだろうか。

（俺が――俺が守らなくっちゃ、この四人の子供を）

梓は指を握ってくれた子を両手で抱き上げた。この子は赤い卵から孵ったから朱雀（すざく）だ。

「女の子かあ」

子供はきゃっきゃと小さな手を振って笑い声をあげた。

（か、かわいいっ！）

高く持ち上げるとよけいに声が大きくなる。そっと肩に近寄せるときゅっと首にしがみつく。

（うわあ）

梓は感激した。なんのためらいもなく自分に体を預けてくれる子供に。

「ありがとう、俺、梓だよ、羽鳥梓」

背中に手を置き、撫でる。梓の手のひらに隠れてしまいそうな小さな背だったが、その体は火のように熱い。

「あったかいなあ……」

そこではっと気づいた。子供が温かいのではない、この部屋が寒いのだ。しかも彼らは裸のままだ。

「わ、待ってて、今ストーブつけるから」

梓は子供をおろすと電気ストーブをつけた。電熱が赤くなると、子供はまたきゃっきゃと笑った。

たんすからタオルやセーターを出してとりあえず全員をくるんだ。

「ごめんね、寒かったよね」

梓はもう一人の、黙って自分を見ている子にも手を差し伸べた。この子も女の子だ。白い卵から生まれたから白虎（びゃっこ）のはず。

その子は抱き上げられたとき、少しだけ体をすくめたが、目をあわせるとにっこりと笑ってくれた。おとなしいかわいらしい子だ。

その子も肩に寄せて「梓だよ」と挨拶する。

その隣の子は男の子でしかめ面を続けていた。梓が抱き上げようとしたときも盛大に体をひねって嫌がる。青い卵から孵ったので青龍（せいりゅう）。

「だっこがきらいなのかな？」

梓は無理をせず、その子を畳（たたみ）に戻した。

黒い卵から孵った子供はぐっすり寝ていたのでそのまま抱き上げてみる。四人の中で、一番重かった玄武（げんぶ）は男の子。

「寝る子は育つっていうしな」

ぎゅっと抱きしめて「梓だよ」とつぶやくと、ちょっとだけ手を動かした。

「ええっと、赤ちゃんっていうと、まずはミルクだよね」

ネットで赤ん坊に必要なものを調べる。写真を見ると彼らは新生児、というほど小さくはない。おそらく卵の中でその時期を過ごしたのだろう。

梓は近くのスーパーにいって哺乳瓶と粉ミルクと紙おむつを買ってきた。

まだ動かないとはいえ心配だったので、ちゃぶだいをひっくりかえし、四本の足を段ボールで囲んだ簡易サークルを自作する。その中に毛布を敷いて、赤ん坊を寝かせておいた。

「すぐ帰るからね！　待っててね！」

途中でATMに寄ると、アマテラスが振り込んでおくと言った通り、銀行の口座にはお金が入っていた。

「うわ、やった！　振り込み名義は〝カ）タカマガハラ〟……。株式会社タカマガハラというわけか」

そのお金を使って何種類かの粉ミルクを購入し、意気揚々と帰ってきたのだが……、赤ん坊たちはどのミルクも飲んでくれなかった。

朱雀は哺乳瓶の乳首をくわえたとたん、ぷっと吐き出した。白虎はまったく口を開かず、青龍はいやいやと首を振った。玄武はまったく起きない。

かといって飲みたくない、というわけではないようで、手を口元にもっていくと、指をしゃぶったりする。ぱくぱくと口を開けたりするのを見ると、おなかがすいているんじゃないかと思う。

ネットで調べても、赤ん坊は一日七回ミルクを飲むと言う。卵から出てきてすでに三時間、絶対にミルクは必要だ。

やがて子供たちはぐずぐずとむずかり、泣きはじめた。

「わああ、ごめん！　ちょっと待ってて！」

梓は検索を使い、「赤ん坊ミルク飲まない」と検索した。すると答えに「哺乳瓶のゴムをいやがる」「乳首を代えてみる」というのがあったので、別なスーパーにいったり、百貨店にいったりと、とにかくお金の許す範囲でミルクや哺乳瓶を購入したのだ。

だが、やっぱり飲んでくれない。

泣き続ける子供たちの声も心なし弱まってきたような気がする。

「どうしよう、このままミルクを飲まなかったら……」


死？


不吉な一文字が頭に浮かぶ。

母親に電話で聞いてみようかとも思ったが、説明するのが大変だろう。下手をすると孫ができたことにされるか、誘拐したことにされるか。

こんなときに限ってクエビコもやってこない。

そんなわけで冒頭のような絶叫になるわけだが。

「そうだ！」

身近に頼りになりそうな神様がいるじゃないか。

梓は泣きわめく赤ん坊を再び手製のサークルにいれると部屋を飛び出した。

一

「呉羽さーん！　呉羽さーん！」

　神社に飛び込み大声で呼ぶ。磨耗した石像の前にまわって顔らしきところに自分の顔を押しつけた。

「呉羽さん！　でてきてくださいよ！」

「うるさいぞ」

　バサバサと羽ばたきの音が聞こえ、石像の上に大きな白黒の尾長鶏が舞い降りた。

「あ、伴羽……さん」

「呉羽呉羽となんだ、わしの名前をなぜ呼ばぬ」

「え、だって、その」

　呉羽の方が知恵がありそうだったから、とは言わない。

「いや、このさい、伴羽さんでもいいです」

「でも？」

「い、いいえ、ぜひお願いします。お知恵を貸してください！」

「ふん、どうしてもというなら貸してやらんこともない」

伴羽は赤い鶏冠を振ってそっくりかえった。

「赤ん坊がミルクを飲まないんです」

「……ほう」

「哺乳瓶を代えてもミルクを代えても、全然飲まないんです、このままじゃ……」

「……ふむ」

「伴羽さん？」

「……」

目をつぶって鶏のようにじっとしている伴羽に、梓はじれて怒鳴った。

「伴羽さんてば！」

「……赤ん坊のことは管轄外だ」

「えええー？」

伴羽はひょいと黒い尾羽を立て、それを揺すった。

「わしらはミルクなぞ飲まん。ミミズなら食うが」

「赤ん坊にミミズなんか食べさせられませんよ！」

「なぜだ？　ミミズは高タンパクで栄養価が高いぞ。人間が食すには土抜きをせねばならんがな。本体は癖もなく、どうしてもとれない土臭さはニンニクや生姜で消せばサラダにでも炒めものにでも」

「呉羽さーん！　助けてください、呉羽さん――――！」

梓は途中で遮って呉羽に助けを求めた。

「無礼なやつだな、きさま！」

「だれがミミズの食べ方を聞きたいって言いましたか！」

「ええい、人の話を聞かない奴はこうしてくれる」

伴羽が飛び上がって梓の頭の上に乗る。

「いたいいたいいたい！」

爪が頭に食い込み、梓は飛び上がってわめいた。

「梓さん、どうされたんです」

ふわりと真っ白な羽を伸ばしてようやく呉羽が現れてくれた。

「うわーん、呉羽さん！　助けてください、伴羽さんがひどいんです――――！」

「やかましいわっ！」

呉羽がなんとか伴羽をなだめ、梓の頭の上からどかせる。それでようやく梓は呉羽に現状を訴えることができた。

「赤ん坊がミルクを飲まない……ですか。確かに兄者の言うとおり、我らはほ乳類ではないのでミルクでは育ちませんでしたねえ」

「そこをなんとか」

「しかもただの赤ん坊ではなく、四神の子ですよね。本当にミルクでいいんでしょうか？」

呉羽の右目のメガネがきらりと光った。

「え？　でも見た目は人間の子供ですよ」

「それは人界で孵ったから目の前にいたあなたの姿を真似ているだけです。本来彼らは四通りの動物の姿をしているはずです」

「あ、あの、虎とか亀とか龍とか……」

「少なくともほ乳類は虎しかいないですね。白虎の子はミルクを飲むかもしれませんが……」

「そ、それが誰も飲んでくれないんです」

呉羽は思慮深気に首を傾げた。

「卵の殻はまだありますか？」

「あ、そういえば殻はいつのまにか消えていました」

「おそらく卵の殻自体も力があるものだと思われます。消えたということはその力を吸収したのでしょう。しばらくはミルクなしでも大丈夫だと思いますが……」

呉羽の落ち着いた声が嬉しい。大丈夫と言われ、梓は涙がでそうになった。

「ともあれ、私がアマテラスさまに神子(みこ)たちがミルクを飲まない件をご報告します。そしてなにを採らせるべきか、聞いて参りますので」

「あ、ありがとうございます」

これだよこれ。この神対応をお願いしたかったんだよ。決してミミズの食べ方なんかじゃなく。

「……貴様、今、弟に比べて兄は使えねーなーと思ったであろう」

伴羽がぶるぶると体を震わせる。

「あ、いえ、そんなことはちっとも」

「わしは、わしはなあ、呉羽よりなあ、」

伴羽が翼と尾を高々(たかだか)とあげた。

「尾が長いんだぞおおお！」

「えっと、呉羽さん、お願いします」

「はい、わかりました」

「人の話を聞けえええええっ！」

二

　呉羽に言われ、とりあえず梓はアパートに戻った。赤ん坊を長い時間放り出しておくことは危険だからだ。

「なんで伴羽さんがついてくるんです」

　バサバサと大きな羽音をたてながらついてくる伴羽は、他の人間に見えないのが不思議なくらい存在感がある。

「なにを言うか。四神の子供が孵ったのだぞ、めでたいことではないか、顔を見てお祝いくらい言いたい」

「まだ赤ん坊だからわかんないと思いますけど」

　ドアの前に立ったとき、泣き声が聞こえなかった。

「ま、まさか」

　最悪の想像が頭をよぎり、急いで中へ飛び込んだ。ちゃぶ台段ボールサークルの中を覗き込む。

「い、いない！　いったいどこへ？　まだ動けないはずだ」

ぞわっと背中が冷たくなった。それは悪寒とかではなく、物理的に冷たい風が当たったせいだ。

「窓が開いている！」

閉めていったはずだ、まさか！

梓は窓に駆け寄り下を覗いた。一瞬恐ろしい想像をしたが、そこに赤ん坊は倒れていなかった。

「梓！　これを！」

声に振り向くと、伴羽が黒い羽根を一枚くわえていた。

「なんですか、抜け毛なんて今重要なことじゃ……」

「馬鹿者、これはわしの羽根ではない、見てわかるだろうが！」

その羽根は確かに伴羽の羽根にしては大きすぎる。いや、巨大と言っていい。

「これって……」

「これは、おそらく天狗（てんぐ）の羽根だ」

「て、天狗ゥ？」

また非現実的なものが。いや、しゃべる鶏が目の前にいるってだけでも充分異常なことなのだが。

「これがここに落ちているということは、四神子は天狗に連れされたのかもしれん」

「ええっ!?」

伴羽は窓枠に飛び乗り、翼を広げた。

「梓、わしに乗れ！　天狗と言えばここから一番近いのは高尾だ。いったいなぜ四神子を連れ去ったのか、理由を問いただす！」

伴羽の姿はみるみる大きくなり、小馬くらいになった。

「乗れ！」

「は、はい！」

梓は伴羽の背中によじのぼった。太い胴体を足で挟み込み、首回りの長い羽根を掴む。

「行くぞ！　しっかり掴まっておれよ！」

バサリ、と大きく羽根を振って、伴羽が空中に飛び上がった。


耳元でビュウビュウと風がうなる。

伴羽は鶏ながら、長い尾をまっすぐに引き、力強いはばたきで空を飛んでいた。

「すごいっすね！　伴羽さん、だてに神様のお使いじゃないっすね！」

梓が風に負けずに叫ぶと伴羽は鶏冠を揮わせた。

「当たり前だ、わしが何百年あの神社を護ってきたと思っておる！　それにわしの尾は飾りで長いわけではないわ」

「尾？　尾がなにか関係あるんですか」

そういえば先ほども自分の尾が弟より長いとわめいていたっけ。

「大ありだ！　尾が長ければ長いほど、霊力が強く、飛行速度も早いのだ。天狗ごとき、すぐに追いついてみせる！」

池袋から西へまっすぐ、眼下に新宿高層ビル群が見えてきた。その向こうに。

「伴羽さん！　あれ！」

梓が指を伸ばした。

青い空の中に染みがわき出すように黒い影が増えてくる。それは黒い鳥の一群、いや、鳥にしては胴体が長い。しかも翼のほかに腕が見える。

「天狗だ！」

「天狗？　あれが？　大勢じゃないですか！」

天狗は十数羽の群れでこちらに迫ってきていた。しかも手に手に長い槍や刀のようなものも持っている。

「完全に戦闘態勢ですよ！」

「こしゃくな」

伴羽は躊躇なく、まっすぐに天狗たちに向かって飛んだ。天狗の方も伴羽の姿を認めたのか、固まって飛んでいたのが散開する。左右に大きく迂回して両側からはさまれる形になった。

ちょうど都庁の真上だ。近代的なビルの上で昔話にでてくるような衣装をつけた天狗と、巨大な鶏が向かい合う。もしこんな姿が肉眼でとらえられたら人々の認識がひっくり返りそうだ。

「天狗……ほんとに天狗だ、いたんだ……」

「ふんっ、木っ端の烏天狗だ。恐れることはない」

伴羽はどこまでも強気だ。大きな羽根をゆっくりと上下させ、ホバリングのように空に浮いている。

山伏の法衣を着込み、大きな翼を持つ烏天狗たちは、鳥そのものの頭を持つものや、くちばし型のマスクをつけた人間など様々だった。みな、頭に頭巾と呼ばれる多角形の小さな帽子のような物をつけている。

「てめえら、なにものだ！」

烏天狗の先頭に立つものが、鋭い槍の穂先を向けてきた。彼は顔にくちばし型のマスクをつけている人間だ。

「なにものだとは挨拶だな、わしはアマテラスさまにお仕えする桜神社の神鶏、伴羽だ。

こっちは人間で名を梓。きさま呼ばわりされる覚えはないぞ！　そっちこそ名を名乗れ！」

伴羽の名乗りに天狗たちの集団がざわついた。いまだかつて伴羽がこんなに頼りがいがあるように見えただろうか。

「そうか、そりゃあ悪かったな。俺等（おれら）は高尾山の大天狗、内供坊（うちくぼう）さまの眷属（けんぞく）だよ」

マスクをした烏天狗が槍を納めながら頭をさげた。

「内供坊か。ちょうどよい。実は今から高尾へ尋ねようと思っていたところだ」

「アマテラスさまの御神鶏殿が何の用なんだい」

「先日、タカマガハラから四方を守る四神の卵が人間界に遣わされた」

「四神の卵が!?」

「これなる梓がその卵の仮親（かりおや）に任命された。しかし先刻、孵ったばかりの四神子がさらわれたのだ、梓、あの羽根を」

伴羽の言葉に梓はあわててポケットから黒い羽根を取り出した。

「これはお前たちの仲間、天狗の羽根だろう。この羽根を持つ天狗が犯人だ。わしらはそいつを探している」

その羽根を見たとたん、天狗たちが声を上げた。リーダー格の天狗がその仲間たちを手で制す。

「そいつぁ魔縁（まえん）天狗のものだ」

「魔縁天狗？」

天狗はうなずくと、持っていた槍をくるりと回した。

「実は内供坊さまが東京に魔縁天狗の気配を感じられ、俺等に出撃を命じられたのよ。三障四魔（さんしょうよんま）の魔界に落ちた天狗は世の混乱を引き起こしやがる。必ず成敗しなきゃなんねえ。俺等は気配を追ってここまできていたんだが、その羽根があれば追うのはよりたやすい。貸してもらえるか」

「なるほど、目的は同じというわけか、いいだろう」

梓の手からするりと羽根が抜け、天狗たちの前に浮かんだ。

「羽根は持ち主の元へ返る。この羽根を追えばいい」

天狗がなにか唱えると、羽根がたちまち空の彼方（かなた）へ向かって飛んだ。

「追うぞ！」

天狗たちがいっせいにはばたいた。伴羽も大きく羽根を振る。

「伴羽さん、魔縁天狗って？」

周りを烏天狗に囲まれた梓は、小さな声で伴羽に尋ねた。

「この世界には六道（ろくどう）というものがある」

伴羽はまっすぐに前を見ながら言った。

「天道（てんどう）、人間道（にんげんどう）、修羅道（しゅらどう）、畜生道（ちくしょうどう）、餓鬼道（がきどう）、地獄道（じごくどう）。これらは輪廻（りんね）でつながっており、いずれかの道を経(へ)て天へ上るかまた甦(よみがえ)りかする。そしてその六道のいずれにも属さぬものを外道(げどう)という。その外道のひとつに三障四魔という魔界がある。天狗はもともと猿田彦(サルタヒコ)という神の眷属(けんぞく)だが、中にはその魔界に堕ちるものもいるのだ。ほかに天狗になるため修行をしていた人間も魔界に堕ちることがある。そんな天狗を魔縁天狗というのだ」

「そ、そんな怖い天狗がどうして子供たちをさらっていったんですか」

「わからん。さきほどの烏天狗も言っていた、世の混乱を引き起こすためかもしれん」

「あの子たちが混乱を？」

「四神は国土や境界を守るものだ。その四神がいなくなればこの国はたちまち滅びる。アマテラスさまもそうはおっしゃっていなかったか」

確かにそうだった。だが今あの子たちはただの赤ん坊なのに。

「あの子たちになにかしたら……絶対許さないからな」

梓は伴羽の首の毛をぎゅっと掴んで呟いていた。

三

雲が切れると目の前に高く美しい山の姿があった。富士だ。

「うわ、すごい……」

梓は思わず呟いた。

「こんな近くで見られるなんて。なんだろう、ゾクゾクするっていうか――持っていかれるような」

「富士は霊峰だ。あの山自体が力を持っているし、人間の信仰を集めた力もあるからな。特別な山なのだ」

伴羽が説明してくれた。

「我らにも力を与えてくれるが、魔のものにも等しく力を与えるからな、やっかいだ」

黒い羽根はまっすぐに富士に向かって飛んでゆく。

「魔縁天狗の気配がするぜ」

伴羽の側で飛んでいる烏天狗が言った。さっき伴羽に挨拶した烏天狗部隊のリーダーのような男だ。

「よう兄ちゃん、あんたは四神子の仮親と言えど普通の人間じゃねえの？　ここから先は神や魔物の領域だ。このあたりで待機しといちゃどうだ？」

烏天狗はくちばし型のマスクを手で外し、そう言った。口調はチンピラ風だったが、年齢は四〇前くらいの四角い顎をした渋いおじさんだ。梓は首を振った。

「あの子たちは俺が預かった俺の子供たちです。この手で取り返すまでは帰れません」

「そうかい」

烏天狗はちらりと笑った。

「なかなかいい度胸してんじゃねえか。俺ァ一五郎坊示玖真ってんだ。あんたらの護りにつかせてもらうぜ」

「あ、ありがとうございます、じゅ、一五郎坊……？」

「示玖真でいい」

示玖真はそう言うと、翼を振って伴羽の上に回った。

「い、今の人は人間だよね」

梓は伴羽にささやいた。伴羽は小さくうなずくと、

「そうだな、修行して大天狗から翼をもらったのだろう」と答えた。

「修行すれば人は天狗になれるものなんですか？」

「さあな。七回くらい死ねばなれるんじゃないのか？　わしも天狗についてはそう詳しくない」

「伴羽さんが詳しいのはミミズの食べ方だけだものね」

「きさま、まだ言うか」

「嘘ですよ、伴羽さん、すごい頼りになってかっこいいですよ」

梓がそう言うと、伴羽はぎゅんと速度を上げ、天狗たちの中から飛び出した。照れているらしい。

「見えた！」

頭上で示玖真が叫んだ。

雪をかぶった巨大な山肌に、小さな光が見える。それは赤と青と白の光だ。梓の胸がドクンと打つ。見間違えようがない、あれは。

「朱雀、青龍、白虎、玄武！」

梓が叫ぶ。それに答えるように光が明滅する。

その光に浮かび上がった姿は確かに背に翼を持つ人型だ。光りは富士の頂上を目指している。

「四人も抱えているんで速度があがらねえんだ」

示玖真が言い、天狗たちは武器の鞘を払った。

さすがに二月の富士山頂には登山客はいない。雪の中に鳥居がいくつかと、無人の気象観測所が見えた。

「富士の火口に入るつもりか」

示玖真の言葉に伴羽が首を傾げた。

「妙だな」

「どうしたんですか」

梓が聞き返すと、伴羽は目を細めた。

「富士の火口は深さは二〇〇メートルくらいしかない。このまま入っても底で捕まえることができるのに、なぜあんな場所に」

魔縁は火口へ入った。天狗たちも速度を落とさずついてゆく。

「お？」

火口の底は真っ白な雪だ。だが、その雪は魔縁天狗が近づくとまるでシェイクをストローでかき混ぜるように渦を描き出した。その中心がぽっかりと黒く穴を開ける。

「そ、底に穴が？」

「あんなものを用意してやがったのか」

魔縁天狗はその穴に飛び込んだ。天狗たちも伴羽もためらいなく飛び込む。

火口の底穴は入り口に比べかなり広く作られていた。しかし採光は上からしかなく、かろうじて周りが見える程度だ。周囲は灰色の土で固まっている。

その土の表面がぶつぶつと沸騰するように泡だった。

「な、なに？　まさか噴火？」

「違う、これは――」

土の泡はより集まって大きくなると、四つ足の得体の知れない怪物の姿となる。顔を上げ口を開くと音のない咆哮をあげた。地面からひきはがすように足や手を動かす。

「示玖真さん、あれは？」

「魔縁が作った泥人形だ。俺たちを足止めするつもりだろう。なに、ただの雑魚だ」

土くれの怪物たちはつぎつぎに天狗たちに飛びかかってきた。天狗たちは手にした武器でそれを撃ち払うが、相手は土なので体の一部を破壊してもひるむことなく襲いかかってくる。

それどころか斬ったところから再生、分裂して増えていく一方だ。

「ちぃっ、キリがねえな」

伸ばしてきた土の腕を粉砕して、示玖真が叫ぶ。

「おいっ、集まってくれや！」

天狗たちが示玖真の元にやってきた。示玖真は梓たちを振り向くと、

「ここは俺等がくい止める。あんたらは魔縁を追え！」

示玖真は額の前に指をたてると口の中でなにか唱えた。周りの天狗たちもそれにならって唱和する。

火口の土が持ち上がり、その下から茶色の植物の根が触手のように伸びてきた。根は互いに絡まり掴まり、ネットのようになると、土くれの怪物たちを受け止めはじめた。

「行け、行けっ！」

示玖真が振り返って怒鳴る。土くれの怪物たちはネットの隙間から腕を伸ばし、ゆすり、やぶろうとしていた。

いくつかちぎれた隙間から襲ってくる敵を、示玖真の槍が撃ち払う。

「すまん、任せた！」

伴羽はそう言い残すと、まっすぐに光を追って火口の底へ向かった。

「朱雀！　白虎！　青龍！　玄武！」

梓が叫ぶとその光が少しふらつく。

「四神子たちが飛行の邪魔をしているようだ」

どんどん姿が大きくなる。相手の着ている法衣まではっきり見えてきた。その腕に抱かれている赤ん坊たちの姿も。

「子供たちを返せ！」

梓が叫ぶと天狗はこちらを振り返った。その顔は黒い烏のものだ。姿は今まで一緒にいた天狗たちと変わらなかったが、なにか得体のしれない邪悪さを感じた。

「伴羽さん、近づいて！」

「どうするつもりだ」

「子供たちを頼みます！」

伴羽の勢いが増す。ほとんど真っ逆様の状態で天狗に迫った。

梓は伴羽の背の上で体を起こすとその背を足で蹴り、天狗の背中に飛び移った。

「梓、このばかっ！」

伴羽が怒鳴る。

梓は魔縁天狗の羽根にしがみつき、その背中を両足でドカドカ蹴った。

「子供たちを離せっ！」

天狗は背中をゆすって梓を落とそうとしたが、羽根をしっかり掴まれていて、羽ばたくこともできなくなった。きりもみ状態で落ちてゆく。

「離せってば離せ！」

梓は烏天狗の首に腕を回し、絞めあげた。天狗はくちばしを大きく開け、音のない悲鳴を上げる。

腕の力が緩み、子供たちが空中に放り出された。

「伴羽さんっ！」

「任せろ！」

落ちてゆく子供を伴羽が足とくちばしをつかって捕まえた。だが、もう一人がすり抜け、火口の底の底に落ちてゆく。あれは。

「玄武っ！」

梓は魔縁天狗を蹴り飛ばし、その勢いで玄武に追いつこうとした。だが、玄武は梓の手の少し先の位置で落下している。

落下の法則ってなんだっけ、同じ大きさなら同じ重力がかかり同じ速度で落ちるんだっけ。アキレスは亀においつかないいんだっけ、くそう、そんなこと今はどうでもいいっ！

梓は必死に手を伸ばした。

(届かない？　届かないのか!?)

指の少し先なのに。

「玄武っ……！」

息の先に声を乗せて呼ぶと、眠ったまま落下していた玄武がぴくりと顔を上げた。その目が。

――うっすらと開く。

「玄武！」

その瞬間、どんっ！　と周りの空気が震えた。ビリビリと体中の皮膚が振動する。

火口の周りの土が盛り上がったかと思うと、そこから大量の水が梓と玄武めがけて噴出した。

「うわっ？」

水は円を描くようにして梓と玄武を包み込み、そのまま周囲に伸びて向こうの壁にぶつかった。水はその到達点からピシピシと凍り始め、瞬く間に氷の橋のようにつながった。

「梓⁉」

伴羽がその氷の橋に舞い降りる。と、シャーベット状になった氷の中から玄武を抱いた梓が起きあがってきた。梓の周りだけ、氷が柔らかい。

「大丈夫か？」

「だい、じょうぶ。水が、受け止めてくれた」

梓はガチガチと体を震わせながら腕に抱いた玄武を見た。玄武はまた目を閉じて眠っている。

「今の、玄武の力……？」

梓ははっと他の子供たちを見た。

「朱雀、白虎、青龍、大丈夫？」

朱雀はけらけら笑って梓に手を伸ばした。白虎の様子は変わらなかったが、青龍はべそをかいている。

「青龍、大丈夫だよ、怖かったね」

抱きしめると声を上げて泣いた。今までしかめ面でどこかよそよそしかった青龍だが、今は梓に必死にしがみついている。水に濡れて冷たく冷えた梓の体に青龍の体温がじんわりとしみこんでいく。

「大丈夫、大丈夫、俺がいるからね」

不意に伴羽が飛び上がった。襲いかかってきた魔縁に体当たりしたのだ。頭上で魔縁天狗にその太い爪で掴みかかっている。黒い尾羽が蛇のようにのたうった。

「伴羽さん！」

魔縁天狗は腕で頭を庇(かば)い、長い剣で伴羽の尾に斬りつけた。黒い尾が細かな羽根になって舞い散る。

だが、伴羽も負けていない。鋭い爪が魔縁天狗の体を斬り裂き、くちばしが羽根をひきちぎっていた。

「みんな、こっちへ！」

梓は子供たちを抱え、氷の橋を伝い壁際に避難した。

「きっと伴羽さんが勝つ、それに示玖真さんたちが来てくれる」

梓は子供たちをぎゅっと抱きしめた。

俺は戦うことはできない、あんな人外魔境にどう立ち向かえっていうんだ。でも、子供たちを守ることだけは、それだけはやりとげてみせる！

　どさっとすぐそばに何かが落ちた音がした。伴羽だ。右の翼が折れていた。自慢の長い尾羽も半分くらいに切り取られていた。

「伴羽さん！」

　上空を見ると、魔縁天狗が傷だらけの姿で浮かんでいた。こちらも左腕をひきちぎられている。魔縁天狗は肩で息をしながらゆっくりと氷の橋の上に降りてきた。

　梓は伴羽を引き寄せ、子供たちを背にした。寒さだけではない、体の震えを止めることができなかった。

「ち、近づくな！」

　そんな言葉で止めることができたなら、伴羽だってこんなにぼろぼろにならないだろう。

「……四神子をよこせ」

　烏のくちばしがひらき、しゃがれた声が流れた。

「なっ、なんで子供たちをさらうんだ！」

「おまえのしったことではない」

「俺はこの子たちの仮親だ！　知る権利がある！」

「仮親だと？　人間風情（ふぜい）が」

　魔縁はよろけながら近づいてくる。引きちぎられた腕からぼたぼたと血が流れているのに、まったく気にしていないようだった。

「……四神子は新しき国に必要なのだ」

「新しい……国？　新しい国って、なんだよ！」

「我ら魔道が棲む国だ」

「お、お前たちは外道ってとこに棲んでんだろ？　なんでそこにいないんだ」

「うるさい！」

　魔縁が飛びかかってきた。伸びてきた腕を必死で捕まえる。だがその勢いに梓は岩壁に押しつけられてしまった。

「たかが人間が……天狗に勝てると思っているのか」

　足が地面につくかつかないかまで持ち上げられる。梓は片足を振り上げて天狗の太股辺りを渾身（こんしん）の力で蹴った。

「……ッ」

　天狗の手が外れる。梓は姿勢を低くして相手の腰に飛びついた。このまま一気に氷の橋から下に落とそうと思ったのだ。だが、天狗は高下駄（たかげた）の歯を氷に突きたて、梓の突進を止めた。

「うせろ」

　片腕だけで払いのけられた。逆に梓が橋から落ちそうになる。必死に橋にしがみつき、よじ登った視線の先で、魔縁が子供たちに手をかけようとしている。

「やめろお！」

梓は再び突進し、魔縁の背中にしがみついた。羽根を掴むと魔縁が声をあげる。痛めているらしい。

魔縁は片腕を背にまわし、梓を掴むと恐ろしい力で引き剥がした。そのまま氷に叩きつけられる。

「ウェッ、ごほっ」

強く胸を打ち、息が止まった。目の前に倒れた伴羽がいる。梓は伴羽を片手で引き寄せると、守るように胸に抱え込んだ。

「子供たちに近づくな……」

尻で後退して子供たちのそばに寄る。背中で青龍の泣き声がひときわ大きくなった。白虎のすすり泣きも聞こえた。

「きさまから片づけてやる」

魔縁が首に下げていた金属の飾りを引きちぎると、それがたちまち長く大きくなり、一振りの剣となる。びゅんびゅんと振り回しながらこちらに近づいてきた。

「死ね！」

大きく振りかぶった魔縁の姿。梓は思わず目を閉じた。

「――――！」

だが、一瞬後に襲いかかってくるはずの衝撃がない。おそるおそる片目をあけると、目の前が赤く青く白く、輝いている。

「な、な、に、」

梓と四神子の周りが光に包まれていた。魔縁天狗はその光に何度も剣を振りおろしているが、はじかれているようだった。

「これは――――」

「四神子の力だ」

梓の腕の中で伴羽が呻いた。

「四神は……境界を守る。結界を張っているんだ」

「子供たちが……」

梓は背中の子供たちを振り返った。子供たちは目を閉じ、ぎゅっと拳を握りしめている。いつも笑っている朱雀も必死な顔をしていた。

「朱雀、青龍、白虎、玄武……」

涙が出てきた。

「ありがとう……」

ついに魔縁の剣が折れた。魔縁は剣を放り出すと、拳(こぶし)を握り、天に向かって雄叫(おたけ)びをあげた。

「許さん、許さんぞ！　なぜ邪魔をする」

魔縁は光に直に触れる。その手がちりちりと焼け焦げているのに、ぐいぐいと押してきた。指先から煙があがった。

そのとき、真上から、水と炎が螺旋を描きながらひとつの矢になって魔縁の体を撃った。

魔縁天狗は炎に焼かれ、水に貫かれ、恐ろしい悲鳴を上げて富士の火口の底深く、落下していった。

「な、なんだ」

梓は光越しに頭上を見上げた。今はもう井戸の底から見上げたくらいの小ささの空から、くるくると輪を描いて降りてくるのは烏天狗たちだ。その他に翼のない二人の男——。

「あ、あれは……」

まぶしげに見上げた伴羽が残っている翼を目の上にかざした。

「火の精と……水の精、だ」

「火と水の精……？」

一人の神は背が高く、スーツを着ている。もう一人は小柄でダウンジャケットを着込んでいた。言われなければ普通の人間に見える。

天狗と二人の精霊は氷の橋に降り立つと、梓たちに駆け寄った。

「おーい！」

手を上げているのは示玖真だ。

梓はほっとして力を抜いた。

「もう大丈夫だ、示玖真さんたちが来てくれたよ……」

子供たちに笑いかけると、梓たちの周りの光が薄くなって消えた。

「大丈夫か⁉」

スーツの男がすごい勢いで駆けてきた。

「俺たちは大丈夫です、でも伴羽さんがひどい傷で」

梓は伴羽を抱きかかえ、その被害の具合を見せようとした。だが、その男は梓を突き飛ばし、四人の子供たちの前に膝をついた。

「ああ、無事か……っ、よかった」

「え、ちょっと——」

あんまりな行動に梓が抗議の声を上げると、もう一人が肩を叩いた。

「えらいすまんなー、神使(しんし)さんは僕が見るよって渡したって」

くるくるとした赤毛の小柄な青年が、すまなさそうな顔をして手を差し出している。

「あれは卵の時から神子の世話をしてたので、心配でたまらんかったんや。あれに代わってお詫びするんで、許したってや」

「それにしたって……」

　梓が不承不承、伴羽を渡すと、赤毛の青年は頭をさげた。

「僕は火の神迦具土の眷属で紅玉言います。よろしゅうたのんます」

「あ、えっと、羽鳥梓です。よろしくお願いします」

　丁寧に対応されたら丁寧に返してしまうのが梓だ。頭を下げた梓に紅玉は微笑んだ。ちょっとボーイッシュな女の子にも見えるかわいい顔をした青年だった。

「あの、伴羽さんのしっぽ、すごく短くなっちゃって……大丈夫なんでしょうか？　翼も折れてるし」

　梓が言うと、伴羽は紅玉の腕の中で顔を上げた。

「心配するな、尾なんぞ気力で生やす」

「またそんな」

「大丈夫やよ」

　紅玉は自分のダウンジャケットを脱いで、それで伴羽をくるんだ。

「御神鶏は普通の鶏とは違うんや。この尾も翼も本来御神鶏が持っている力が具現しているんやし。気力が戻れば元のように立派な尾になるんや」

　伴羽が気力で生やすと言ったのは嘘ではないらしい。梓はほっとした。

「それにしてもあんた、人間やのにがんばったなあ。こないなところまで追いかけて、四神子の力まで引き出したんやろ?」

「え、いや、俺はなんにも……」

「そいつはバカだ」

紅玉の腕の中で伴羽が呻いた。

「飛べもしないくせに魔縁に飛びかかって、一緒に落ちるつもりだったんだぞ」

「へえ」

梓はあわてて両手を振った。

「い、いや、落ちるつもりなんかなかったよ、っていうか、何も考えてなかっただけ」

「それがバカだというのだ」

「でもそっか、あのままだったら墜落してたな……」

今更ぞっとする。富士の火口の底なんて、想像できないくらい深いだろう。氷の橋から覗いてもまったく見えない。

「おまけに玄武を追いかけて飛び降りるし。もし玄武が目覚めなかったらどうするつもりだったのだ」

「あ、それも……なにも考えてなかった」

「な?　バカだろ」

伴羽が言って紅玉が苦笑する。

「まあ確かに……無鉄砲なお人なんやな」

　示玖真が近づいてきた。くちばし型のマスクを顎の下に下げる。

「よう、お疲れさん」

「示玖真さん」

　示玖真は梓の頭を子供にするようにぐりぐりと撫でた。

「並の人間が頑張ったな」

「あ、ありがとうございます」

　この年になってこんなほめられ方をされるとは思わなかった。なんだか照れくさい。が、嬉しい。

「俺らはこれから下まで降りて、魔縁を拾い上げてくる。今回なんでこんなだいそれたことしやがったか、吐かせてやんねえとな」

　あの状態で生きているのか、と梓は驚いた。その表情を読んだのか、示玖真はにやりとする。

「天狗はそうそう死にやしねえよ。だいたいが俺ら、何回か死んで天狗になってるからな」

「え……」

　伴羽が人間が七回死んで天狗になると言ったのは冗談ではなかったのだ。

「あ、そういえば、」

梓は魔縁天狗が言っていたことを思い出した。

「新しい国をつくるって言ってました」

「なに？」

「あの魔縁天狗が言ってたんです。四神子が必要なんだと。魔道のための、新しい国をつくるために」

「新しい国……」

示玖真はマスクに指を這わせ、むずかしい顔をした。

「なにを考えていやがるんだ。こりゃあますます詳しく調べねえとな」

示玖真はマスクを顔に戻すと自分の背後の天狗たちを親指で指し示した。

「おまえさんたちは俺の仲間が家まで連れ帰ってやるよ、そっちの御神鶏さんは動けなさそうだからな」

示玖真はそう言うと何人かの……何羽かの？　仲間を引き連れ下に向かった。梓や二柱(にちゅう)の神、四人の子供たちはほかの天狗たちが引き上げてくれた。

梓は四人の子供たちの方を見た。水の精がなにかしきりに話しかけている。

子供たちの表情は見えなかった。

四

家に戻る途中で、紅玉は伴羽をタカマガハラで休養させると言って別れた。

梓と水の精、そして子供たちは天狗にアパートまで送ってもらった。

住宅密集地帯を低く飛んだのだが、道をゆく人々は誰一人として気づいていないようだった。結界が張ってあるのだと天狗の一人が教えてくれた。

開けっ放しの窓から部屋の中に入る。梓に一礼すると、天狗たちは休みもせずにすぐに飛びたった。部屋の中には梓と水精、子供たちが残され、気まずい沈黙が落ちる。

「あ、あの」

これだけは言わなくてはいけない、と梓は意を決した。

「た、畳の上なんで靴を脱いでもらってもいいですか？」

スーツの水精は、靴もぴかぴかの革靴で、畳の目がすりきれそうだ。

水精はちっと舌打ちしたが、案外素直に靴を玄関で脱いだ。梓は梓で泥だらけになった靴下を脱ぎ、洗濯機に放り込んだ。

「あの」

梓は畳の上に座ると水精を見上げた。水精は、黒髪をぴしりと後ろに撫でつけ、四角いメガネをかけている。ネクタイをきりっと結んで、胸ポケットにもきちんと畳まれたハンカチが入っていた。

富士の火口に飛び込んでも汚れひとつないスーツは折り目もきれいで、隙がない、という言葉の見本のようだ。

「羽鳥梓です。このたびはお世話になりました。助けてくださってありがとうございます」

伴羽を無視したことはまだひっかかっているが、一応助けられたお礼は言わなければならないと、梓は頭を下げた。それからころころと転がっている神子たちに手を伸ばそうとしたが、水精がその手を掴んだ。痛いくらいに強い力だ。

「きさま………、どういうつもりだ。神子たちをこんな危険な目に遭わせて。それでも仮親なのか?」

「え……」

顔を近づけられ、正面から瞳をのぞき込まれた。

水精は端正な顔をしていた。眼鏡の下は切れ長の目、通った鼻筋、薄い唇に並の女性が逃げ出すくらいのきめの細かななめらかな肌。化粧品の広告に出てきそうなクールビューティだ。

「今度の事件、きさまが神子たちから目を離さなければ起きなかったのではないか？　神子たちを放置したのだろう」

「そ、それは――」

「なぜ神子たちをほったらかした！」

梓は横たわって自分を見上げている子供たちに目をやった。

「子供たちがミルクを飲まなくて……伴羽さんたちに相談に」

「ミルクだと、バカものめ」

水精は粉ミルクの缶を掴みあげると、そのままゴミ箱につっこんだ。

「神子たちはミルクなど飲まぬ。彼らが飲むのは天然水だ。どうせ水道の水をわかして飲ませたのだろう」

「て、天然水！」

盲点だった。ミルクと哺乳瓶にしか目がいかなかった。

「わ、わかりました、すぐ買ってきます！」

梓は財布を持って立ち上がるとドアに向かって突進した。だが開ける前に外から勢いよく開かれた。

「行く必要ないよ、梓ちゃん」

「あ、紅玉さん……」

紅玉は部屋の中に入ってくると、仁王立ちになっている水精のそばまでいき、ジャンプしてその頭をはたいた。

「このイケズ！」

「痛い！　なにをするのだ」

「ものぐさすんなや！　おまえなら水道水だって簡単に浄化できるやろうが！」

「ふん……」

水精は鼻を鳴らすとキッチンの方にあごをしゃくった。たちまち水道の蛇口から水が流れ、それが空を飛んで哺乳瓶の中に収まった。

「梓ちゃん、ほんま、ごめん。こいつは水分神（ミクマリノカミ）の眷属で翡翠（ひすい）、言うんや。そもそも僕ら、呉羽さんに呼ばれて神子たちのお世話するためにきたんや」

「えっ、呉羽さんに？」

呉羽さん、ちゃんと仕事してくれてたんだ。やっぱり頼りになるな。

「ミルクを飲まへんという訴えやったんで、アマテラスさまにつかわされたんや。水は浄化して天然水に近くなっているんでもう飲めるはずや。あげたげて」

「ミ、ミルクじゃなくてもいいんですか？」

「ええんよ、大丈夫や」

紅玉は梓に哺乳瓶を渡した。

「さあ、」

梓は哺乳瓶を受け取ると、崩れるように神子たちのそばに座った。一番近くにいた青龍を抱き上げ、その口のそばに哺乳瓶を持っていく。ミルクのときには体をねじって逃げようとした子供だ。

「……」

青龍は梓を見て、乳首を見て、それから口を開いてそれをくわえた。唇と頬が動き、のどが動く。

「飲んだ！」

ぐいぐいと力強く哺乳瓶がもっていかれそうな勢いだ。透明なボトルの中で、水がどんどん減っていくのがわかる。

「飲んだ……」

目の奥が熱くなる。胸が熱くなる。自分の手から命が水に伝わり、それが青龍の中に入っていくように感じられた。

「よかった……」

青龍はさんざん飲むと、乳首から口を離し、小さくげっぷをした。梓は背中をとんとんと叩いて、もう二回、げっぷをさせた。

紅玉と翡翠も畳の上に座ると別な哺乳瓶を持って、それぞれ朱雀と白虎の口にふくませた。ふたりの女の子もおとなしく、おいしそうに水を飲んだ。

　最後の玄武はまた眠っていたが、抱き上げて乳首を唇に触れさせると目を開けた。舌先でゴムの乳首をぺろっとなめ、それから吸いつく。

「玄武、今日は頑張ったね、ありがとうね」

　梓がささやくと、玄武は目元だけでにこっと笑った。

「それにしても、羽鳥梓。私はまだ認めておらんからな。また今日のようなことがないとも言えん。やはり神子たちは返してもらおう」

　翡翠は白虎を抱き上げて言った。

「そ、そんな」

「だいたい神の子を人間ごときが育てるということに問題があったのだ」

「そんなん今さらやろ、翡翠。だいたい卵が孵ったんかて、梓ちゃんのおかげやし」

「違う、たまたまあのタイミングで孵っただけだ。あのままタカマガハラに置いていても無事に孵ったんだ！」

「翡翠、おまえが一〇〇年近く卵を守ってきたんはわかるけどな、あのままやったら卵が孵らずに神子たちが死んでしまってたかもしれんのやで。お前だってさんざん心配したやろうが」

「……」

翡翠はぎゅっと腕の中の白虎を抱きしめた。

「だけど、だって……そんなはずはない、私の世話の仕方がまずかったなんて、そんなはず、なんで……」

クールビューティがだだっ子のようになっている。だが、梓にはその姿を笑うことはできなかった。この一見冷たそうな水精が、どれほど子供たちを大事に思っているのかわかったからだ。

「あの、翡翠さん……」

梓は玄武を抱いたまま水精に声をかけた。

「たぶん、翡翠さんがおっしゃるように、卵が俺の家で孵ったのは偶然です。無事に孵ったのはそれまで翡翠さんが卵を大事に育ててくれたからです。翡翠さんの世話がだめだったなんて、誰も、子供たちだって、そんなこと思ってないはずです」

翡翠はゆっくりと顔を上げた。撫でつけた前髪がパラリと落ちて、三〇前かと思っていたが、案外まだ若いのかもしれないと思わせる顔になった。

「俺が頼りないのもわかります。なんの力もないただの人間です。またこんなことがあれば、やっぱりみなさんのお力を借りることになると思います。それでも、」

梓は二人に向かって頭を下げた。

「それでも子供たちを取り上げないでください。俺に面倒を見させてください。アマテラスさまがおっしゃったように、この縁をつなげさせてください。子供たちは絶対に守ります！」

「……」

水精も火精も黙って梓を見つめていた。

動いたのは白虎だった。翡翠の腕から身をよじり、畳に降りるとはいはいを始めたのだ。今まで座ることもできず、寝返りをうつくらいしかできなかったのに。

「白虎……」

おとなしい白虎が梓の膝に手をかけてのりあがろうとしている。朱雀や青龍もじたばたと手足を動かして少しずつ近寄ってきた。

「翡翠」

紅玉がぽんぽんと相棒の肩を叩いた。翡翠はうなだれ、赤ん坊のいない膝の上で拳を握った。

「梓ちゃん、子供たちに名前をつけたってや」

紅玉が言った。

「名前？」

「へえ。朱雀や青龍というのは役目の名前に過ぎんからな。この子たちだけの名前をつけたって」

「名前……」

梓は膝の上の白虎を見つめた。かわいらしい女の子は静かに微笑んでいる。

「俺が……俺なんかがつけていいんですか？」

「それが仮親の仕事や。最適な名前は仮親がちゃんと持っているもんなんや」

「……」

梓はもう一度白虎を見つめた。唇から自然と言葉がこぼれ出る。

「白虎は……いつもお花のように笑っているから……はな……白花（しらはな）、でどうだろう」

朱雀が自分も、というように梓の服をひっぱる。

「朱雀はいつも明るくてお日様のようだね。朱雀は赤で……明るい……朱陽（あけび）……ちゃん？」

朱雀が満足そうにうなずく。

梓ははらばいになってばしばし両手で畳を叩いている青龍を見た。

「青龍は男の子で元気がいいよね。龍は空を飛べるんだっけ。空を飛ぶって……鳥？　飛行機？　ロケット……？」

頭の中にまっすぐ空を飛ぶ矢の姿が浮かんだ。

「蒼矢（そうや）。蒼矢はどうかな」

青龍は名前を吟味（ぎんみ）するように首をひねっている。

「最後に玄武。玄武は亀で、大地で黒い卵で……」

鈍色に光っていた卵、そして富士の火口の土を揺るがしたことを思い出す。

「玄輝（げんき）。もうこれしかないよ」

玄武はすでに眠そうな顔をしていたが、その名を聞いてぱっちりと目を開けた。

「白花、朱陽、蒼矢、玄輝」

漢字も胸にしっくりくる。梓は改めて四人の名を呼んだ。そのとたん、四人がぱあっと光を発した。

「うわっ」

思わず目を閉じる。

再び開いた時には驚いてひっくりかえってしまった。

「み、みんな、どうしたの？」

赤ん坊たちが、成長していた。今はもう立ち上がり、二歳くらいの姿だ。

「梓さんに名前をもろうて個（こ）になったんやよ。もう意志も通じる思うわ」

「ああーこんなに大きくなってえええ」

翡翠が泣き崩れる。

「羽鳥梓！　神子たちを、神子たちをよろしく頼むぞー！　危険な目にあわせたら承知しないからなあああっ」

終

四人の子供が梓の周りに集まり、抱きついた。

朱陽は梓の膝に乗ろうとする。白花は少し恥ずかしそうに梓の腕に額をこすりつけた。

玄輝は背中によりかかり、また寝始めた。

そんな様子を見て、紅玉は満足そうにうなずいた。

「梓ちゃんは頼りにされているんや」

「そ、そうなんですか？」

一人、蒼矢だけが梓から少し離れたところにいた。手を伸ばすとぷいっとそっぽをむく。

「あ、あの」

うろたえる梓に紅玉が小さく笑った。

「どうやら富士の火口で大泣きしたことを恥ずかしがっているようやね」

火精や水精ならそんな微妙な気持ちもわかるのか。

それにしても水を飲み、名をつけただけでこんなに成長するとは、やはり人間の子供とは違うのだ。

（だ、大丈夫かな）

また急に不安になる。だがそれを口に出すとせっかく水精が託してくれたのに怒られるかもしれない。

神様の子育ては、まだまだ前途多難のようだった。

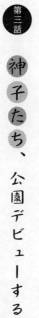

第三話 神子たち、公園デビューする

序

神子たちは二歳くらいの外見になったとはいえ、まだあまり喋れない。

声帯を使うのに慣れていないのだと梓は火精の紅玉に教えられた。梓の言っていること
は、声より先に思考を読むので理解できるらしい。言葉も特に教えなくても、梓の思考の
中からどんどん覚えていくというので、その点は楽できそうだ。

「ごあんー」

朱陽が大声をあげた。朱陽は四人の中で最初に言葉を発した神子だ。

「ごあんーおーこーめー」

そう、子供たちはごはんを食べるようになった。

名前をつけて大きくなった翌日、紅玉と翡翠がそれぞれ一〇キロ入りの白米を持ってき
た。これが神子たちの食事だ。

基本、白米だけでいいのだという。

紅玉が持ってきたのはささにしき。翡翠が持ってきたのはこしひかりである。

炊き立てのごはんの匂いをなにに例えようか。いや、たとえようがない、炊き立てごはんの匂いは炊きたてご飯の匂いとしか言いようがない。

甘くふわりとして、ああ日本人でよかったーと思うこの香り。今その香りが梓の狭い部屋に漂っていた。

梓はめったに使わない古い炊飯器――三合しか炊けないが――を使ってご飯を炊いた。今のもののようにかまど炊きだとか、おどり炊きだとか羽釜とかダイアモンド釜とか、そんな上等なものではないが、米がいいのかおいしそうに炊けた。

それを茶碗やどんぶりや平たいお皿など、いろんな食器に盛り、スプーンを持たせたら子供たちはいっせいに食べ始めた。

一

「すごい、食べるねえ」

「三合では足りんかもしれんねえ」

子供たちの食べっぷりに梓は再度米をとぎ始めた。

「ほんとにご飯だけでいいの？　カレーをかけるとか、炒めるとかしなくても」

とぎながら質問すると、背中に翡翠の答えが返ってきた。

「人間と違い、食事で栄養をとっているわけではないのだ。米に含まれる大地の気や自然の力、人間の思いなどを食べている。まあそのほかのものも食べられないことはないが、今は添加物が怖いからな。米ならばその点、加工しようがない」

「でもお米だって農薬とか使ってるんでしょう？」

「きさま、我らがそんな米を持ってくると思っているのか。むろん有機栽培やカルガモ農法だ！」

袋を見るとたしかにカルガモの絵が描いてある。

「カルガモ農法ってなんです？」

梓は紅玉に聞いた。

「梓ちゃん、しらんの？　米をつくるたんぼにカルガモ放してな、そのカモに害虫を食べてもらったり、雑草を食べてもらったり、おまけにカモが泳ぎ回るんで水をかきまぜて土の中に酸素を補給するし、温度もあげられるしで、いろいろ役立つエコな米作りなんよ」

「へえ、すごいですね」

「やはり気に入らん」

子供たちの白米をつまんでいた翡翠が呟いた。

「この釜では私の持ってきた米のよさをまったく引き出せない。新しい電気釜を買え、羽鳥梓」

「ええー」

「ええーではない、アマテラス様には金をもらっておるだろうが」

「哺乳瓶買ったり子供たちの洋服買ったり靴買ったり布団買ったりしていて、もうあまり残ってないんですよ」

　梓は部屋の中に積んである服や布団を手で指した。裸だった子供たちは、今はそろいのトレーナーにスエットパンツをはいている。フリース製で薄くても暖かい。わかりやすいように朱陽はピンク、蒼矢(そうや)はブルー、白花(しらはな)はクリーム、玄輝(げんき)はブラウンだ。

パステルカラーのトレーナーにはくまさんの耳のついたフードがついていて、それをかぶっている四人がころころしているところは、抱き上げて転がり回りたいくらいのかわいらしさだ。

「計画性がないぞ！　羽鳥梓(はのとりあずさ)！」

「電気釜は来月の給料で買いますから勘弁(かんべん)してください」

子供たちはスプーンからいつの間にか手づかみになっていた。たちまち皿や茶碗が空(から)になっていく。

　この調子では二人の持ってきてくれた二〇キロの米も、あっと言う間になくなってしまうに違いない。

「子育てって食費がかかるんだなあ」

両手からそれぞれ米を食べていた朱雀の朱陽が、よっこらせと立ち上がると台所にいる梓のそばまでやってきた。米だらけの手を差しのべる。

「うん？　どうしたの朱陽ちゃん」

梓は手をタオルでふきながらしゃがんだ。朱陽は手のひらを梓の顔にくっつけた。

「ごあんー」

「うわ、え？　俺にも食べろっていうの？」

朱陽はにっと笑ってぐいぐい手を押しつけてくる。

「わかったわかった、今お米といでいるから……あとで食べるから」

だが朱陽は梓の口の中に自分の手をいれようとする。このくらいの子供には「あとで」なんてないのだ。

「うん、わかった。じゃあいただくよ」

梓は朱陽の手をとってその手のひらにびっしりくっついている米粒をなめとった。朱陽が嬉しそうにきゃっきゃと笑う。

気がつくと白花が茶碗を両手で持って、その背後にひっそり立っている。

「あれ、白花もくれるの？　ありがとう」

梓は茶碗を受け取った。白花ははずかしそうに笑うとすぐ自分の茶碗の前に戻った。

わあ、かわいい。

その奥ゆかしさに感動しながらご飯を食べようとしたが、朱陽がまた手のひらを梓の口に押し当ててくる。

「待って、待って朱陽ちゃん。今白花のごはんを――」

「むー！」

朱陽は言うことを聞かず、梓が茶碗からご飯を食べようとするのを邪魔する。

「はは、朱陽ちゃんやきもちやきなあ」

翡翠と一緒に玄輝にごはんを食べさせている紅玉が笑った。玄輝は隙あらば寝ようとするので、二人で交互にご飯を口に入れているのだ。

「やきもち、ですか」

「朱陽ちゃんは自分のごはんを梓ちゃんに食べてもらいたいんやよ、なあ？」

紅玉の声に朱陽がにかっと大きく笑った。

二歳くらいになると、どの子も個性がでてくる。

朱陽は四人の中で一番からだが大きく、よく動く。立ったときのバランスもいい。

赤っ毛が顔の周りをふわふわと縁取って、どこかぬいぐるみめいたかわいさがあった。

白花は赤ん坊の時からおとなしかったがそれは今も変わらず、ご飯もちゃんとスプーンを使って食べる。器用なのだろう。動作はゆっくりだが慎重なのかもしれない。

まっすぐな黒髪にひとふさだけ白い色が混じっているが、もしかして成長すると虎だけにしましまになってしまうのだろうか。

色の白いきれいな顔立ちの子だった。

「ごほっ、ごほっ」とむせたのは青龍の蒼矢だ。こちらも手づかみで食べているが、急いだのかへんなところにはいったらしい。

「蒼矢、落ち着いて。ごはんはなくならないから」

梓は飛んでいって背中を叩いた。叩きながら、(あれ? 神様にも気管ってあるのかな)などと考える。

蒼矢は目に涙を浮かべながらも梓の手を振り払った。

「いあっ!」

蒼矢は男の子らしく梓に弱みを見せることを嫌う。まだよちよち歩きなのにひどく自立心が旺盛(おうせい)というか、プライドが高い。

体は小さいが、すぐに朱陽と喧嘩(けんか)をする。今むせたのも、たぶん朱陽よりたくさん食べようとしてしまったのだろう。

青みがかった柔らかな髪に、きりっとした顔立ちで、成長すれば女の子にもてるだろう。

玄輝は食事の間でも寝ようとする。口にスプーンがはいれば目をあけて咀嚼(そしゃく)するが、飲み込むと、かくり、と首が垂れる。仕方がないので翡翠と紅玉がかわりばんこに口に米を運んでいる。

長めの黒い前髪の下から覗く目は、いつも眠たげで、半眼でなければかわいい顔だと思うのだが。

ほかの三人と同じように動けるはずなのだが、腰を下ろした位置からほとんど動かない。将来は引きこもりになるかもしれない。

「あ、そういえば」

大切なことを忘れていた。

「あの、この子たち一度もおしっこやうんちをしないんですが」

「は？」

翡翠と紅玉がきょとんとする。

「だから、おしっことかうんちとか。今までは水だけ飲んでいたからいいですけど、ごはんを食べたらでるでしょう、うんち」

「神様はウンコなんかしない」

翡翠がものすごい形相で拳を握った。

「ええ？　うそ。どこのアイドルですか」

「いや、ほんまや、梓ちゃん」

紅玉が笑いながら言った。

「実はするんやけど、神さんのそういうものは人間の世界には恵みとなるんや。でもそれがこの狭いアパートに集中したら幸不幸のバランスが崩れて困るやろ。だからうんちやおしっこは、自動的にタカマガハラに召し上げられているんや」

「そ、そうなんですか。うんちが恵みなんですか」

「そや、昔、むかぁしな、オオゲツヒメっていう神さんがいてな、その神さんがアマテラスさまの弟のツクヨノさまをもてなそうとしたときに、その、下から食べ物を出したことがあるんや。ツクヨノさまはそれが食い物だとわからんかったんで、怒ってオオゲツヒメを殺してしまったんやけど」

「ええっ！」

アマテラスさまの身内にそんな過激な神がいるなんて。で、でも無理ないかな。

「オオゲツヒメの体はそのあと人の世の恵みになったんやけど、まあそんなふうに、この子らのうんちやおしっこも人のものとは違う。だから梓ちゃんはおむつとかの心配せんでええよ」

「は、はい」

それは楽そうだ。

「そうや、梓ちゃん。俺ら、梓ちゃんにプレゼントもってきたんやで」

紅玉が玄輝の口を拭きながら言った。

「え？　このお米じゃないんですか？」

「ちゃうちゃう、これはまあご挨拶みたいなもんや。ほんまのプレゼントはな、外にあるで。窓の下見てみな」

梓は窓のそばに寄った。下を覗いてみるとそこには、なんだろうあれは。リヤカーのようなものが。小さな車輪四つに大きな車輪が二つ。外枠はアルミパイプで全体がビニールかポリエステル素材の布で覆われていた。

「ちゃうちゃう、リヤカーやないねん。あれは大勢の子供を乗せて押せるオープンタイプの大型ベビーカートや」

梓の呟きを聞き取ったか、表情を読んだか、紅玉が笑いながら言う。

「ベビーカート？」

「そうや、六人乗りやで。この子たちもずっと部屋の中いれておくわけにいかんやろ。お散歩いったりしてもらわんとな。だけど四人もいたら連れ歩くのも一苦労や」

「そ、そうですね」

思っただけで大変そうだ。

「やけど、そんなとき、このベビーカートに乗せれば、簡単に移動できるし、子供らも車気分で上々（じょうじょう）や」

　梓はもう一度ベビーカートを見下ろした。明るいパステルブルーにお花の絵や丸っこいぞうさんが描かれているそれに、子供を乗せて押しているところを想像してみる。

「すごい！　すばらしいです、紅玉さん」

「そやろ？」

「俺、散歩のことなんて考えてもいませんでした」

「そうだろうと思ったのだ」

　翡翠が冷たい声を出した。

「水を飲ませることもできなかったお前が散歩など考えつくわけがないと思った。早いとこ神子育てから手をひくことだな」

「翡翠さん……」

　翡翠は口を開けば子育てをやめろと言う。氷のような言葉はサクサクと梓の心を傷つけて冷たくする。

「まあまあ、梓ちゃん、しょんぼりしぃな。このベビーカートを思いついたんは、実は翡翠やで。梓ちゃん、子育て大変やろうってな」

「本当ですか」

「ほんまほんま」

　梓が感謝の視線を向けると翡翠は大げさにそっぽを向いた。

二

ごはんを終えるとお昼寝の時間。

玄輝はようやく落ち着いて寝られる、とばかりにころりと転がる。

白花も梓がふとんを敷くとおとなしく横になった。

言うことを聞かないのが朱陽と蒼矢だ。

朱陽は奇声を上げ、狭い部屋の中を走り回り、壁や本棚に激突しようとする。それを蒼矢が追いかけ回し、朱陽が落とした本や散らかしたティッシュに足をとられて転んでいる。

「ふたりとも、お昼寝して。玄輝や白花はちゃんといい子で言うこと聞いてくれるよ」

梓が走り回る二人に言っても聞く耳を持たない。

「羽鳥梓。そういう子供たちを比較するような言い方はするな。子供の心がいじけてしまうだろうが。そんなこともわからないのか」

サクリ。また氷が投げつけられる。

「梓ちゃん、言うことを聞かない子は興味がほかにあるんや。こっちに興味向けるようにしたらええで」

紅玉はそう言うと、着ていた上着の中から手袋を取りだした。それを使って器用にウサギの人形を作る。人差し指と中指が耳になっている人形だ。

紅玉はそれを手にはめると、梓相手にごっこ遊びを始めた。

「梓ちゃん、こんにちは」

「こ、こんにちは」

紅玉が奇妙な甲高い声でしゃべりはじめる。いきなり振られて驚いたが、とりあえずのってみた。

「ぼくはうさぎのこーちゃんです。おやまからきました。梓ちゃんはどこから来たの?」

「え、えっと、福井県からきました」

「ふくいけんはどこにあるの?」

「日本海側の方だよ、東京からは北陸新幹線で金沢まで行って、そこからしらさぎに乗って行くんだよ」

そういうやりとりをしていると、朱陽の足が止まり、梓と紅玉の方を見た。

「こんにちはー、あけびちゃん」

うさぎのこーちゃんが呼ぶ。朱陽は不思議そうな顔で近づいてきた。蒼矢も朱陽が走らなくなったので、梓の方に興味を移したようだ。

うさぎのこーちゃんはしばらく梓とおしゃべりしたあと、「ねむくなっちゃったー」と梓の膝の上に乗る。

「おうたうたってー」

うさぎのこーちゃんにねだられて梓は困った。子守歌なんかひとつもしらない。しかし、朱陽も蒼矢も期待している目で見上げている。

そのとき思い出したのが、故郷、福井の盆踊りのときの歌だ。梓は小さな声で歌いだした。

「盆のお月さん　まるこてまるい　まるてまるうて　まんまるこで　かどがない♪」

母親に子守歌を歌ってもらった記憶はないが、この歌なら毎年夏になると近所の商店街に流れていた。

この商店街は、少し近くに大型ショッピングセンターができたため、衰退し、今はもうない。取り壊されてビルや駐車場になっていた。

だが、梓の中で故郷のイメージはこの商店街だった。

夏祭り間近の暑くこもった空気や、スピーカーのくぐもった金属音、商店街の人たちの声、大好きだったコロッケ屋の油の匂い、チャリチャリと歩く度に鳴っていた母親のバッグにつけられた鈴。

歌うだけでそんなものが一気によみがえってきた。

上京してから歌ったことはなかったが、この歌はこんなにもふるさとに結びついていたのだ。

（あ……）

夢を見ているのかと思った。

梓はいつの間にかあの商店街にいた。中学三年の時に消えてしまったはずの場所。

大島コロッケのいい匂い、元気だった八百屋の主人、歩道にまで靴や草履をあふれさせていた靴のハラダ、誰が着るのか想像もつかない、派手なワンピースを置いている洋服屋のジュンコ。

兼松の米屋では精米機がうなり、呉服屋・越野の店先にはいつもおばあさんが腰をおろし、店の女将と話をしていた。

一〇〇円持って通ったタカダ玩具屋。なかなか目当てのガチャカプセルがでないと店の主人が機械をあけて出してくれた。水谷書店にはほんとにお世話になった。マンガも文庫も参考書もここで買った。

スピーカーから盆踊りの歌が流れてくる。小学校の校庭で毎年盆踊りがあるのだ。

商店街は人でいっぱいだ。小さな梓の視点では、背の高い大人の隙間から青空が見える。

チャリンチャリンと鈴がなる。

おかあさんのバッグだ。

おかあさん、大島コロッケ買ってよ。コーンがはいっているやつ。

梓が駆け寄ろうとするとコロッケ屋がふわりと消える。

隣の靴屋の靴たちが、一足ずつ空にのぼってゆく。

振り返ると派手なワンピースは奥にしまわれ、玩具屋のガチャは空っぽになっていた。

書店はシャッターが降りている。

「商店街とともに六〇年、長い間みなさまにご愛顧いただいた水谷書店もこの夏を持って閉店いたします。長い間ありがとうございました。みなさまのご健康とご多幸をおいのりいたします。敬具」

そのシャッターの前で中学三年の梓は立ち尽くしていた。シリーズの最終刊は読めなかった。

ほかの書店で買えばいいのだが、買えなかった。いや、買いたくなかったのだ。この書店で買いたかった。梓にとってあのシリーズは水谷書店とともに終わったのだ。一緒に戦ってきたヒーローは宇宙の果てに飛んでいって、二度と戻ってこない。

どうしてあの商店街は終わってしまったのだろう。そりゃ俺だってショッピングセンターの方に行ってたさ。でも商店街にだれも行かないってことはないだろう？

俺のふるさと、思い出、記憶。楽しかったことはみんなあの商店街にあったのだ。

「……梓ちゃん？」

声をかけられ、はっと我に返った。

ここは故郷の商店街ではない。東京の、池袋だ。膝の上をみると、いつのまにか朱陽と蒼矢が小さな頭をのせて眠っている
「あ、お、俺、——寝てました？」

「起きながら夢を見てたのだろう」

翡翠が言った。

「お前の歌に乗った記憶に四神子が力をくわえてしまった。お前は今思い出の中の場所にいっていたのだ」

「——」

「梓ちゃん」

紅玉が梓の肩を掴んだ。

「気をつけて。四神子の力はこんなふうにあふれることがある。それは子供たちの意志とは無関係に。梓ちゃんは帰ってこれたけど、もしかしたら夢に取り込まれて戻れなくなる人間もいる」

「え……」

「神の力は恐ろしいもんや。神は人の願いを叶えようとするもんや。まれに人が望んでいないことまで。神の子を育てるというのは、こういう力を相手にするってことなんや」

紅玉の目の中に初めてみる懸念の色。

「梓ちゃん、しっかりしてや」

ガクガク揺すられ、梓は改めて子供たちの力を認識した。

天狗と戦ったとき、氷の橋を出したり、結界を張ったりしたのは見た。

だがあの物理的な力より、もっと心配しなければならないのは、こうした人の心を取り出してしまう力かもしれない。

梓は膝の上の子供たちを布団に移動させ、そのあどけない頬を指先で撫でた。

おとなしく眠っている四人の子供たち。今梓に夢を見せたのはどの子だろう。

見かけはほんとにただのかわいい子供だが、想像もつかない力を持った神様なのだ。

「自信がなくなったか、羽鳥梓。四神子が恐ろしくなったか」

翡翠がひやりとした声をかける。

「畏れるがいい、それが正しい人と神の在り方だ」

「神様でも子供だ」

梓は振り返らずに言った。

「俺はこの子たちを正しい優しい子供に育てたい、今のだって知らなかったからやっちゃっただけだ。神様だって知らなければ力の使いようはわからないだろう。尊重はするよ、特別だとも思う。でも恐れない。俺はこの子たちの仮親なんだから」

後ろを向かなかったのは翡翠の反応が怖かったからなのだが、返事はなかった。

長く続く沈黙におそるおそる振り向くと、紅玉がにこにこと、翡翠は苦虫(にがむし)を噛みつぶしたような顔をしている。

「えらい、梓ちゃん。それでこそアマテラスさまがみこまれた仮親や。なあ、翡翠」

「……ふんっ」

翡翠は立ち上がると汚れてもいないスーツの膝を払った。

「それでも私はお前を認めたわけではないからな」

「そんなら梓ちゃん、俺らそろそろ帰るわ。またちょくちょく様子みにくるからな」

「え、もう……?」

「そうや、俺らがいると火と水の気ばっか強くなるからな。なにごともバランスや、バランス」

二人そろって玄関に行くのを、梓は膝をついたまま見送った。

「あ、あの」

正座をして畳に手をつく。

「お米やベビーカート、ありがとうございました。これからもご指導よろしくお願いします！」

頭を下げる梓に紅玉はひらひらと手を振った。翡翠はそっぽを向いたままで、紅玉に軽く蹴りをいれられていた。

パタンとドアがしまる。

梓はふうっと肩の力を抜き、子供たちを振り返った。

「がんばろう」

とりあえずはちらかった床を片づけようと、梓は立ち上がった。

こういうのもタカマガハラが自動的に片づけてくれるといいのにな。

三

子供たちが起きると少し遊んでまたご飯。今度はあらかじめ炊いていたものと炊きたてのもの、併せて六合を用意していたのでゆっくり食べることができた。

ササニシキをおかずにコシヒカリを食べるなんてずいぶんと贅沢だ。でも、やっぱり翡翠のいうように、六合一度に炊ける炊飯器を買った方がいいかもしれない。

ごはんのあと、お散歩にいくことにした。暖かいうちに外にでた方がいいだろうと思ったのだ。お昼寝は帰ってきてから夕飯まで眠ればいい。

「靴下はくよー」

梓は一人ずつ子供たちを呼び、膝の上にのせた。

「はいみぎあしー、はいひだりあしー」

指先でつまめてしまう小さな足。指がわきわき動く。小さいのにちゃんと爪までついているんだなあ。

「このゆびぱぱ、ふとっちょぱぱ……」

昔覚えた歌を口ずさむ。案外覚えているものだ。

靴下をはいた子供たちに靴をはかせ、四人で手をつないで部屋の外にでた。

「しー、しずかにね」

石川荘はドアの外はすぐ外廊下だ。びゅうと冷たい空気が顔に当たった。

「階段ですよー、降りれるかな？　降りれない人はだっこしますよー」

梓がお手本に三段ほど降りてみる。

「あ、後ろ向きの方が降りやすいかな？　こうやって降りてみて」

体をひねり、階段に手を突く。一段一段ゆっくり降りると、見ていた朱陽が真似をして後ろ向きになった。

「うー」

短い足を伸ばして下の段に着く。

「おおー、すごいすごい」

梓がほめるとすぐに二段、三段と降りて、全部で九段のそこを降りきった。

「上手上手。朱陽は階段おりるの上手だねー」

「ちゃいっ！」

朱陽が満面の笑みで両手を上に上げた。

「蒼矢もできる？」

「るー！」

梓は蒼矢のそばに体を寄せて、足を伸ばすのを手伝った。

白花は手を差しのべてきたので、動こうとしない玄輝と一緒に抱き上げて階段を下りた。

「さあ、紅玉さんと翡翠さんのくれたカートに乗ろう」

抱き上げてベビーカートに乗せる。

「いくよー」

ハンドルを持って押す。ガタゴトと揺れるベビーカートに子供たちはきゃーきゃーと大声を上げた。

アパートの外に出る、というはじめての体験に、みんな目を丸くしていた。あの玄輝でさえ目を開けている。

できるだけ車の通っていないところを選んだが、それでも何台かに遭遇した。

大きな車がそばを通る度に、子供たちはびくっと身をすくめ、ベビーカートの中にへばりつく。

(無理もないよな、この子たちにしてみれば初めての人間の世界だ)

また大きな車が通り、朱陽ががたっと箱の中に張り付く。

「大丈夫だよ、俺がちゃんと見ているから」

梓が言うと、朱陽が梓を振り仰いだ。

「こー、こあくなー」

まだかたことだが言葉の使い方はあっている。梓の思考を読んでその返事に見合った言葉を選んで使っているのだろう。

「そう、怖くないのか、朱陽は強いね」

割り込んできたのは蒼矢だ。なにかというと朱陽に張り合う。

「そーやも、こあくなー」

「うん、蒼矢も強いよね」

梓は隅でおとなしくしている白花にも声をかけた。

「白花、ガタガタしてるけど大丈夫? 気分悪くならない?」

(ダイジョブ)

すぐさま念で返事が返ってきた。白花はまだ言葉を口で発していない。梓を見上げて小さく笑う。念で言葉を送る分、他の子供より意味が伝わりやすい。

(アレナァニ?)

白花が指さしたのは道路を横切る猫だ。

「猫だよ。白虎は虎だから親戚だね」

(シンセキ?)

「白花に近いってこと。かわいいね」

白花がうなずく。急に腕をひっぱられ、見ると朱陽がむくれていた。

「あえびのー、あえびのー」

「朱陽の親戚かあ、そうだね……」

梓は空を探した。

「あ、あそこにいるよ」

電線にふくれた雀(すずめ)が何羽か止まっている。それを見た朱陽はぶんぶん首を振った。

「ちっちー、がうっ」

言葉といっしょに「小さすぎる」というような意味が頭に入ってきた。どうやら雀は小さくて朱陽の親戚とするにはもの足りないようだ。

「そうだね、朱陽は大きいものね。そのうち大きな鳥を見に行こうね」

「そーやも!」

ベビーカートの中で蒼矢が足を踏みならす。さてこまった。龍の親戚はなんだろう?

「あ、そうだ。いつか福井につれてってあげるよ。福井には恐竜博物館があるんだ」

「きょーゅー?」

「そう。竜って言うくらいだからきっと蒼矢の親戚だよ。すごく大きくてかっこいいんだ」

「おー」

蒼矢は満足そうにうなずいた。

玄輝は、と見るとカートの縁に掴まってまっすぐ前を見つめている。彼はとくに梓に語りかける言葉をもっていないようだった。


車がびゅんびゅん通る大通りをわたったあと、丸く開いた公園へ出た。前からここに公園があるのは知っていたが、中に入るのははじめてだ。

ベビーカートを押して公園に入ると、ベンチには若い母親たちが座り、小さな子供たちが走り回っている。

ブランコや滑り(すべ)台にも歓声があがっていた。

「……」

ベビーカートの中の子供たちの目がかってないほど見開かれた。朱陽はつま先だって、蒼矢は身を乗り出し、白花も首を伸ばしていた。玄輝だけはあいかわらずなにを考えているのかわからない顔で座り込んでいる。

「さあ、みんなちゃんといい子で遊べるかな？」

梓はベビーカートに手をいれて朱陽を抱き上げようとした。ところが朱陽は激しく抵抗した。

「ど、どうしたの、朱陽。怖くないよ、みんな朱陽と同じ小さい子だよ」

だが、朱陽ははっきりと恐怖を示している。天狗相手にもけらけら笑っていたのに。

「朱陽、どうしたの？　なにが怖いの？」

「うー」

朱陽はなにか話そうとしているようだが、二歳児では自分の言いたいことを表す言葉が絶対的に足りない。結局朱陽は念で思いを伝えてきた。

（ゴチャゴチャ……イッパイ、ウルサイ）

「ごちゃごちゃ……」

梓は公園で走り回っている子供たちを見た。ごちゃごちゃというのは彼らのことだろうか？

「あ、そうか」

さっき部屋の中でいきなり懐かしい故郷につれて行かれたことを思い出す。神子たちは人の思いを読むのだ。

子供の考えは大人より整然とはしていない、とくにああやって走り回っていれば思考は混乱しているだろう。

それをゴチャゴチャと表現したのか。

「朱陽、大丈夫だよ。聞きたくないものは聞かなくていい。ほら、ごらん」

梓は公園の木を指さした。その枝に雀が二羽止まっている。

「朱陽の親戚だよ。あの子たちの声に耳をかたむけてごらん。人の心でいっぱいになったら、鳥の声を聴くといい」

「ちんちぇき……」

朱陽は一生懸命雀に目をこらした。やがて落ち着いたのか、大人のようにふうっと息をした。

「まだ怖い？」

朱陽は首を振った。

「蒼矢も怖くないよね、朱陽が怖くないから」

いつも朱陽にはりあう気持ちを利用してみる。案の定、蒼矢は一瞬泣きそうな顔をしたが、すぐに眉を寄せ、我慢した。

驚いたことに、ベビーカートの中で最初に梓に手を差し出したのは白花だった。表情にもおびえがない。

「白花、大丈夫なの？」

白花はこっくりとうなずく。梓は白花の腕の下に手をいれて、抱き上げた。

新しい靴で初めて地面の上に立つ。白花は地面をしばらく見つめていたが、やがてよろよろと歩きだした。

「あえびもー」

朱陽がカートの縁をばんばん叩いた。梓は朱陽を出してやり、続いて蒼矢も抱き上げる。

三人はひとかたまりになり、おそるおそる滑り台の方に向かっていった。梓は一人カートの中に残っている玄輝を見る。

玄輝は眠ってはいなかったが、公園には興味のない顔をして、空を見ている。

三人の子供は滑り台のすぐ横に立って、その機能を確認しているようだった。

階段を上り、腰をおろして、足をそろえて滑り落ちる……。

梓はベビーカートを押しながら滑り台のそばにいった。

「階段、さっきは降りられたけど……のぼれるかな？」

心配心からそう言ったのを挑戦ととらえたのか、蒼矢が真っ先に階段に近づいた。手すりを持って、足を一段かける。

二段目をかけたとき、不安そうな顔をして梓を振り向いた。

「大丈夫、あってるよ。もうひとつ」

蒼矢はうなずくともう一段登った。頭の位置が梓より高くなり、そこで息を飲み、動かなくなった。視線が高くなったのがこわいのだろうか?

「蒼矢、大丈夫?」

蒼矢の顔がくしゃっと歪(ゆが)み、泣きそうな怒っているような顔になった。だが足は動かない。

「うーん、じゃあ降りる?」

そう言ったとき、蒼矢のお尻を朱陽が頭で押した。朱陽は登る気まんまんだ。

「う、うー!」

どんどんと突くものだから、蒼矢は泣きべそをかきながら階段を上がりだした。てっぺんについたときには柵に掴まってしゃがみこんでしまう。

「そーや、ちゃっ!」

朱陽が蒼矢を邪魔だと押し退け、滑り台の上にしゃがんだ。両脇をしっかりつかみ、足を伸ばす。

「あじゅさー!」

朱陽の声が頭に飛び込んでくるのと、彼女が滑り落ちたのが同時だった。

「きゃーっ!」

滑り落ちた朱陽はけたたましい声をあげて笑った。

「あー！　きゃうー！」

言葉にならないほど興奮して、また階段に回る。朱陽はすっかり滑り台を気に入ったようだ。

滑り台の上には白花もいた。彼女は用心深く腰を下ろすとぐいっと体を押し出し、勢いよく滑った。

（ワア！）

声をあげないかわりに頭の中に響いた音が大きく、思わず頭を押さえる。

蒼矢はまだ滑ることができず上にいる。公園で遊んでいた、神子たちより少し大きな子供が、滑り台にのってきた。

てっぺんで、しゃがみこんでいる蒼矢をちらりと見て、滑り降りる。終わった後、また蒼矢の方を見上げた。気にしてくれているようだ。

「……」

蒼矢はその子を目で追った。

再び朱陽が階段を登りあがり、蒼矢の横を滑り降りていく。

白花も二巡目に挑戦していた。

さっき蒼矢を追い越して滑った子が、蒼矢の隣に立った。

その子は滑り台に腰を下ろすと、蒼矢を振り返った。

「……いっしょにすべる？」

ぱっと蒼矢が顔を上げた。梓の頭の中に蒼矢の混乱した思いが満ちる。

うれしいのととまどいとはずかしさと悔しさ。

甘酸っぱいような切ないようなこの気持ちには梓も覚えがあった。思わずベビーカートのハンドルをぎゅっと握ってしまう。

「蒼矢……」

動けない蒼矢を見ていた子供は、あきらめたのか、やがて一人で滑り降りた。

その子が地面に到着するやいなや、蒼矢が決意したように、勢いよく滑り台の上に腰を下ろした。足をまっすぐに揃える。それを見た梓は思わず拳を握った。

「よし、行け、蒼矢！」

梓の声に蒼矢は大きく目を見開くと、腕に力をこめて、体を押し出した。

「わあっ！」

蒼矢の声が公園に響く。そのときにはもう地面についていた。

「やったー、蒼矢！　滑れたじゃない！」

梓は思わず地面に座り込んでいる蒼矢を抱き上げた。

「やったね！　えらい！　上手に滑れたよ！」

「やーよ！」

ぎゅっと抱きしめると蒼矢がいやがって暴れた。地面におろすと滑り台にすっとんでゆく。階段にはさっきの子が待っていてくれた。

蒼矢は照れくさそうに笑うと、その子のあとについて滑り台の階段を上った。

蒼矢、朱陽、白花は何度も滑り台で滑ったあと、こんどは砂場に遠征（えんせい）した。ほかの子がやっているのを見よう見まねで山をつくったりしている。蒼矢のそばにはさっきの子がいて、いい指導者になっているようだった。

玄輝は……。

あいかわらずベビーカートの中でぼーっとしている。

梓はベビーカートを押してベンチの方へ向かった。若いママたちがモコモコのダウンコートに包まれて座っている。ぎゅうぎゅうにベンチに詰まっているさまは、丸く膨らんだ雀のようだった。

「こんにちは」

「こんにちはー」

梓が小さな声で挨拶すると、声を揃えて挨拶を返してくれた。

「ずいぶん若いパパさんねー」

「この公園でははじめまして、ね」

「子供は三人？　あらもう一人いるの？　四人？　同じ年なの？」

いっせいに話しかけられ、梓は答えることもできず曖昧(あいまい)に笑った。

さて、どうしよう。

パパというには確かに若すぎる。預かっているのだというと資格を持っているのかと聴かれるだろう。無資格とわかればなにか言われるかもしれない。

一瞬でそこまで考えを巡らせ、梓は最適な答えを導きだした。

「……姉の子供をみてるんです。バイト代くれるっていうから」

「あらー、そうなのー」

やった、信用してもらった！

「やー、子供は大変ですねー」

「そうねー、男の人はそうかもねー」

「いろいろ教えてくださいー」

「あらあらー」

間延びした会話でつなぐ。ここで受け入れてもらえれば、この先子供たちとも遊んでもらえるかもしれないし、助けてもらえるかもしれない。

「走り回る子供も大変ですけど、この子みたいに遊ばない子供ってどうなんでしょう？」

さっそく気になることを聞いてみる。二歳ですでに引きこもりってどうなんだ？

「あらそうねー」

ママの一人はカートの中をのぞき込んだ。

「顔色もいいし、お元気そうねー。走り回らなくても心配しなくていいわよー、じっとしてるのが好きな子もいるのー」

「そうそう、したくないことはしないって子供もいるからねー」

「きっとこの子もなにかしたいことを見つけたら動き回るわよ」

「そうですか……」

玄輝のしたいことってなんだろう？　寝ることか？

「あそこで遊んでいるのはみなさんのお子さんですか？」

次に、梓は砂場で固まっている子供たちを指さした。今は神子たちのほかに女の子一人と男の子二人、ブランコに女の子二人がいる。

「そうよー、砂場にいるのがうちの子でユーショーっていうの」

「女の子はうちの子でマドナっていうの、ユーショーちゃんと仲良しなのよ」

「ブランコにいるのはうちの子よ、姉妹でね、エリカとカリン。よろしくね」

「あ、はい。うちのはピンクの服の女の子が朱陽でクリーム色のが白花、ブルーの男の子は蒼矢で、この子は玄輝って言います。よろしくお願いします」

言いながら、あれ、紹介された子供、一人足りなかったみたいだけど、別におかあさんいるのかな？　と梓はあたりを見回した。ほかのベンチには作業服の男性と、スーツ姿の男性、コートを着たOL風の人が座っているだけだ。

「この公園は広いしお遊具もあって砂場も柵がしてあって清潔でいいわよ」

ユーショーくんママが言った。

「そうそう、西口の方なんて、砂場解放してあるからときどき猫のうんちがあるのよ、気をつけてね」

マドナちゃんママが言う。

「ふくろう公園の方は大人が多いからあまり子供は遊べないみたいよ」

エリカちゃんママも教えてくれた。

「あ、そうだ、あのこと……言う？」

ユーショーくんママがほかの二人に言った。

「あ、ヨシくんママのこと？」

「そう」

「うーん……」

三人のママは顔を寄せてこしょこしょ話をしている。梓はなんだか会社訪問を思い出した。面接官の前で順番を待っている気分だ。

「あのね、この公園には他にもママたちがくるんだけど」

「皆さんたいていはいい感じでちゃんとしてらっしゃるんだけど」

「中にね、おひとりちょっとね……」

　またこしょこしょが始まる。もしかしてママ同士のいじめとか悪口とかが始まるのか？

「あのね、ヨシくんママ……本間(ほんま)さんって方がいらっしゃるんだけど、」

　ユーショーくんママが思い切ったように言った。

「あそこのマンションにお住まいなのね」

　指さしたのは公園にほど近い、茶色のタワー型マンションだ。

「お気の毒なの、お子さんを——ヨシくんって三歳の子なんだけど、この夏に亡くなってしまったの」

「えっ」

　イジメじゃなかった、お気の毒な話系だ。

「それでね、ショックだったんでしょうね、あたしだって子供が死んじゃったらって考えるだけでおかしくなりそうなんだもの、無理ないけど」

「そうよねえ、母親なら耐えられないわよね」

「心療内科とか行ってもねえ、そういえば橋本(はしもと)さん、けっきょく鬱病(うつびょう)だったらしいわよ」

「あらー、顔色悪かったものねー」

「仕事のしすぎなのよ、ブラックってやつじゃない？」

「このあいだブラックラーメンって食べてみたわよ」

「あ、どうだった？　おいしかった？」

おいおいおい、どんどん脱線しているぞ。

「あの、それで本間さんがどうしたんですか？」

梓が聞くと「そうそう」とユーショーくんママは手を叩いた。

「その本間さんが最近このへんの公園にきて、ヨシくんと年が近い子がいるとじーっと見てるのよ」

「ちょっと気味が悪いくらい見てるの」

「一度なんか家に連れて帰ろうとして騒ぎになったこともね」

「気持ちはわかるけど、少し怖いわよね」

「もうちょっと落ち着くまで病院とかね」

「病院って言えば聞いた？　吉田皮膚科、訴えられたらしいのよ」

「ええっ、あたしあそこでアトピーの薬もらってるんだけど」

「あの武田さんがね……」

また話題がずれていく。三人のママたちはもう本間さんの話ではなく、武田さんの話に夢中になっていた。

そのとき。

不意に梓の頭の中に音と一緒にひとつの文字が浮かんだ。

『死。』

それは梓の内側からではない、あきらかに外からの声だった。

「え……」

梓はきょろきょろとあたりを見回した。

『死ヌ。』

再び声が聞こえた。はっきりとしたイメージを持って。

そのイメージは老人だった。

「まさか、今の……玄輝？」

ベビーカートの中をのぞき込むと、いつも半眼だった玄輝が目を丸く開けている。

『死ヌ。死ニソウ。』

「玄輝？　なに？」

それは玄輝の声というより、誰か他の人間の思考を中継して寄越されたような気がした。

梓はベビーカートをママたちのベンチから離した。カーゴの中に顔をいれ、玄輝にささやく。

「死にそうってだれ!?」

『死ニタクナイ。』

「それは助けてってこと？」

玄輝がはっきりとうなずいた。

梓は四神の子を預かることになり、一応神道系のことをネットで調べた。そのとき覚えたことのひとつに玄武の役割がある。

玄武は北を守護する神獣だ。

日本において北は鬼門にあたり、それゆえ玄武は死に近い。「北枕」など、死に直結する言葉もある。

玄輝はもしかしたら、誰かの死を感じ取っているのかもしれない。

「玄輝、それ、近いの？」

玄輝はカートの中で立ち上がり、公園の背後のマンションを指さした。三階建てで窓のデザインからかなり古そうな建物だ。

「あそこ？　あそこに助けてって言ってる人がいるの？　おじいさんだね？」

玄輝がうなずく。

「わかった」

梓はママたちのベンチに戻ると、

「すみません、ちょっと離れます、五分で戻ってくるので砂場のあの子たちを見ていてもらっていいですか？」

と頼んだ。

「いいわよー」

「ありがとうございます」

梓はベビーカートまで走ると中の玄輝を抱きかかえた。

「行くよ、玄輝」

公園を走ってよこぎり、植え込みから柵を乗り越える。マンションはオートロックではなく、そのまま中に入ることができた。

「どこ？　玄輝、この階？　上？」

玄輝の手が天井を指す。

「上か」

二階まできても指は上だ。

「三階？」

外階段あがって廊下にでると、玄輝の指が横にさがった。三つ目の部屋の前で扉を示す。

「ここだね？」

梓は玄輝をおろすと玄関のドアを叩いた。

「すみませーん！　中にいますか？」

返事はなかったが、ためらわずドアノブを掴む。鍵がかかっておらず、ドアはあっけなく開いた。

「失礼します！」

部屋の中に飛び込んだが、誰もいない。

「玄輝、どこ？」

玄輝の顔がぐるりとあたりを見回し、指がさっとあがった。トイレだ。

駆けつけると、なぜかトイレのドアの前に薄いポスターパネルが倒れており、それが向かいの壁につっかえて、ドアが開かなくなってしまっている。

梓はパネルを持ち上げて、トイレのドアをあけた。すると中に便座にすがるようにしてうずくまっている老人がいた。

「大丈夫ですか⁉」

体がすっかり冷たくなっている。倒れたパネルのせいでトイレのドアが開かなくなり、閉じこめられたのだ。便座の熱だけで暖をとっていただろう。

あんな薄いパネル一枚でトイレのドアが開かなくなるとは。命の危険は日常のどこに潜んでいるのかわからない。

「しっかりして、今救急車呼びます！」

梓は携帯を出そうとして、やめた。部屋を探し、固定電話を見つけるとそれで救急車を呼ぶ。

老人をトイレから引っ張りだしたあと、消防署の人に指示されたとおり、老人の体を温めるため、部屋の中にあった半纏（はんてん）やこたつの布団をかぶせた。

「もう大丈夫ですからね」

老人はうっすら目をあけた。

「ありがとう……、便所で死ぬなんて、そんなみっともないことせんでよくなった……」

「すぐ救急車きますよ」

外にサイレンが聞こえた。梓はほっとして立ち上がった。

「じゃあ俺行きますから」

「ま、待ってくれ、あんただれだ、名前を……」

「気にしないでください」

梓は玄輝を抱えると外へ出た。外廊下から下を見ると救急車が止まったところだ。もう大丈夫だろう。

なぜ、老人がトイレで死にかけていたのがわかったのか、説明できない。子供が「死」を感じ取ったといっても信じてはもらえないだろう。

煩雑（はんざつ）さを防（ふせ）ぐためには知らぬふりをするのが一番だ。携帯電話を使わなかったのもそのためだ。

　梓は外階段を下り、急いで公園に戻った。

四

「すいません、お待たせしました」

　公園のベンチに戻ると、ママたちはまだおしゃべりに興(きょう)じていた。

「あらあら、さっき救急車があそこのマンションにはいっていったのよー」

「そうみたいですね」

　梓はそしらぬ振りで砂場を見た。だがそこには子供たちはいなかった。

　蒼矢はまた滑り台にいる。

　白花はエリカちゃんと一緒にブランコにいた。

　朱陽は……。

「朱陽？」

　鉄棒のところにも花壇(かだん)にもいない。

「あ、あの」

梓はベンチのママたちに聞いた。

「朱陽は……ピンクのフリースの子はどこにいったかご存じないですか？」

「あらあ、さっきグルグル（回転式ジャングルジム）のところにいたわよー」

「ちがうわよ、シーソーのところよー」

「お手洗いに行ったと思ったけどぉ」

朱陽は積極的に動き回る子だ、きっとあちこち、ママたちの言うところに行ったのだろう。でもお手洗い？　神子たちはうんちもおしっこもしないはずだが。

梓は玄輝をベビーカートにいれると、トイレに行って声をかけた。

「朱陽、いる？　返事をして」

声は聞こえない。思い切って女子トイレの方へ入ってみたが、どの個室にもいなかった。

男子トイレの方も空だ。

「朱陽？」

トイレからでると、蒼矢と白花が立っていた。さっき滑り台で蒼矢を誘ってくれた男の子も一緒だ。男の子は蒼矢と手をつないでいる。

「蒼矢、白花、朱陽をしらない？」

二人は顔をみあわせ、手をあげた。

「っち」

二人の指さす方は公園の出口だ。

「朱陽、公園でちゃったの⁉」

（ツレテイカレタ）と白花。そのとたん、朱陽の手を引く女性の姿が梓の脳裏に浮かんだ。

「ええっ！」

さっきのママたちの会話が甦る。

――本間さんって人が
――子供をじっと見てて
――子供を亡くして
「まさか……」

梓は蒼矢と白花をベビーカートのところまで連れていった。中に乗せようとしたとき、男の子がまだ一緒にいることに気づいた。

「ぼくもいく」

男の子が言った。

「えっ、だめだよ、今忙しいから……」

「いく」

蒼矢がその子の援護をするように手をぎゅっと握る。見上げた目で「つれてけ」と言っている。

「で、でも」

男の子は梓の返事を待たず、ひとりでベビーカートの縁に乗りあがると、頭から中に落ちようとする。

「ま、待って待って」

梓は男の子の体を押さえた。

「あ、あの、すみません、この子は」

ベンチに腰掛けている三人のママたちに聞く。

「この子はどなたのお子さんですか？」

「はあ？」

ママたちの不審な目を受けて、梓はベビーカートに目を戻した。

「あれっ？」

いない。今までベビーカートの中に逆さになって頭をつっこんでいた子供が。

「あ、あれ？」

胴体を持っていたと思ったのだが、いつのまに手からすり抜けたのだろう？

梓は首を振った。降りてくれたのならそれでいい。

「すみません、ちょっと出てきます」

蒼矢と白花をベビーカートにのせ、急いでバーを押して動かす。

「朱陽がどこにいるかわかる?」

蒼矢と白花がかわるがわる指をさす。玄輝にもわかるようで同じ場所をさしていた。

「あそこ?」

三人が同時に指さしたのは、やはり本間さんという人がいる茶色いタワー型マンションだった。さっきの古びたマンションと違い、最新のタワー型マンション。エントランスも広くて明るい。ガラスで仕切られたドアはボタンで番号を入力して開けるタイプだ。

部屋番号を探すと一三〇六号室に「HONMA(ホンマ)」という名前があった。

インタフォンを押す。何度押しても返事はない。

「ほんとにこのマンションに朱陽がいるんだね?」

念を押すと三人ともうなずいた。

「どうやって開けてもらえばいいんだ?」

管理人さんに言っていれてもらうか? だがなんといって?

不意に白花がベビーカートから身を乗り出した。数字を入力するコンソールに手を伸ばす。

「白花?」

その手からパチパチッと白い火花が散ったかと思うと、青白い、小さな稲妻のような光がコンソールめがけて走った。

「わっ！」

パシッとコンソールで何かが切れたような音がした。ガラスのドアが開く。

「し、白花……」

白花は困ったような顔をすると、蒼矢の体の後ろに隠れた。

四方の西を司る白虎は金の精。金属は電子を帯び、電気を取り出すこともできる。

「ま、まあいいか。このさい仕方ないよね……」

開いたドアから中に入る。エレベータにベビーカートをいれ、十三階のボタンを押した。

「朱陽……」

子供を亡くした本間さんが朱陽を連れていったのだろうか？　朱陽のことを死んだ息子だと思っているのだろうか？

一三階で降りた後、廊下を六号室を探して歩く。奥から二つ目にその部屋はあった。

インタフォンを鳴らすがやはり出てこない。

「くそっ！」

ドアノブをガチャガチャやっても、さっきの老人の部屋のようには開かなかった。

「ここは電気じゃないから白花に開けてもらうわけにもいかないし……」

ベビーカートに目をやった梓は「うわっ」と声をあげた。カートの中にあの男の子が一緒にはいっていたのだ。

「き、君、いつのまに……どうして……」

男の子は悲しそうな顔で梓をみた。そんな彼を蒼矢が庇うように前に出る。

「え？　まさか蒼矢が連れてきちゃったの？　そんなことまでできるの？」

蒼矢は返事をせずにカーゴから身を乗り出した。手をドアノブへ伸ばす。

「蒼矢？」

蒼矢の指がにょ、と伸びた。それは細い植物の蔓になると、鍵穴に入り込んでいく。ドアノブの奥でカチリと音がした。

「うわあ」

青龍が木の性質を持っていることは知っていたが、これを人前でやられたらまずい。

蒼矢は指を元に戻してみせると、得意げな顔で振り返った。

まあ今は非常事態だ、やむをえまい。

連れてきてしまった子供のことは仕方がないのであとで考えよう。

梓はドアノブを掴むとそれを回した。

「本間さん、いるんですか？」

玄関の中にはいり、ベビーカートから子供たちをおろす。そういえば人の家に入り込むのはこれで二度目だ。

廊下の突き当たりにリビングがある。梓はそのドアを開けた。

「……朱陽」

大きな窓のそばのソファに、その人は座っていた。膝に朱陽を抱えて。朱陽は眠っている。丸くて大きな胸に抱かれて安心しきっているように。

「朱陽――」

梓が近づくと、その人はぎゅっと朱陽を抱いて身を固くした。

「誰？　なんのよう？」

「本間さんですね」

梓はごくりと唾（つば）を飲むと、刺激しないように静かな声を出した。

「その子は朱陽と言います。僕のところの子供です。……返してもらえますか？」

「この子はよしちゃんです」

本間さんは朱陽を両手でしっかり抱えた。

「よしちゃんが帰ってきたんです」

「本間さん、よく見てください。その子は女の子だし、あなたのよしちゃんと顔が違うでしょう？」

「違うわ！　この子はよしちゃんなの！　あたしのよしちゃんなの！」

「朱陽、起きて、目をさまして」

梓が呼びかけると、朱陽はぴくんと体を振るわせ、本間さんの腕の中で両手を伸ばした。うーんと大きく伸びをして、ぼんやり目を開ける。

「よしちゃん！」

本間さんが朱陽を抱いて名前を呼んだ。だが朱陽はきょとんとしている。

「朱陽、おいで」

梓が呼ぶと朱陽は本間さんの膝からおりようとした。本間さんはそうはさせまいと腕に力をいれる。朱陽はこのとき初めて自分の動きが制限されていることに気づいたらしく、不思議そうな顔で本間さんを見上げた。

「よしちゃん、行かないで」

そのとき玄輝の後ろからあの子供が出てきた。泣き出しそうな顔で本間さんを見ている。

「あ、」

梓はようやく気づいた。

「君は――――、君が、もしかしてよしちゃんなのか？」

本間さんがはっと顔を上げる。

「よしちゃん？」

本間さんには男の子が見えていないようだった。視線が部屋の中や梓やほかの子供たちには向くのに、男の子には向けられない。

蒼矢が男の子の手を握った。彼の体からうっすらと青い光がにじみ出す。その光は手をつないだ男の子の全身を覆った。

「あ、あ……」

朱陽を抱いていた本間さんの腕の力がゆるんだ。滑り落ちるように朱陽は本間さんの膝から降りて、梓のもとに駆けてくる。しかし本間さんはそれにも気づかないように、ソファから立ち上がり、両手をさしのべた。

「よしちゃん……よしちゃん……」

男の子は――よしちゃんも両手を広げ、本間さんの元に駆け寄った。

「よしちゃん！」

本間さんはよしちゃんを抱きしめ、わっと泣いた。

「よしちゃん、どこに行ってたの！　帰ってきたのね、よしちゃん！」

これはまずい、と梓は思った。蒼矢は死んでしまった子供とおかあさんの願いを叶えたのだ。それは自分に親切してくれたよしちゃんへのお礼かもしれない。でもこれはだめだ。このままでは本間さんは現実に向き合えず、夢の中に暮らすことになる。

「本間さん、聞いてください」

梓はうずくまるようにしてよしちゃんを抱いている本間さんの肩をゆすった。

「本間さんのお子さんはなくなっているんです、そこにいるのは本間さんの思いに呼ばれたよしちゃんの魂なんです」

「ちがうちがう！　よしちゃんは今ここにいるの！　どこにもいかないの！」

「魂は、返してあげないと………。魂はまた巡るものなんです、よしちゃんもいつか還ってくるかもしれない」

「探してたのよ、よしちゃんはきっと公園で遊んでいるから」

「本間さん、わかってください、よしちゃんは」

梓の服を玄輝がひっぱった。え？　と顔をあげると、いつのまにか出て行ったのか、朱陽がベランダに出ていた。そして柵の上によじ登っている。

「朱陽！」

梓は仰天して叫んだ。

「なにやってるんだ！」

梓の声に本間さんがはっと顔をあげる。その目が大きく見開かれた。

朱陽はベランダの柵の上で両手と両足を使って立ち上がろうとしている。

「や、やめ、やめ………」

梓が立ち上がる前に、その横を駆け抜けたものがいた。本間さんだ。

「なにやってるの！」

本間さんは金切り声をあげ、梓の体をもぎとるような勢いでベランダの柵から取り上げた。

「なにやってんの！　落ちたらどうするの！　死んじゃうのよ！」

怒鳴（どな）られて朱陽はきょとんとした。

「落ちたら……死んじゃうのよ……」

本間さんは朱陽を抱いたまま泣き崩れた。

「よしちゃん、よしちゃんも……」

涙に濡れた本間さんの視線を受け、ガラス窓の向こうでよしちゃんは笑った。

（ママ、ぼく、いるの。いっぱい、いつでも、みんな、ママの、よしちゃん）

「よしちゃん……ちがうの、よしちゃんは、ママのよしちゃんは……」

（ママ、バイバイ、またね）

よしちゃんが手を振る。本間さんはよしちゃんに手を伸ばした。

「よしちゃん……行かないで……」

その手の先でよしちゃんの姿はふうっと吹き消すように消えていった。

「あ、あ……」

うずくまり、顔を覆って泣く本間さんの横で、朱陽が本間さんの頭に手を伸ばす。その手から薄赤い光がすっと本間さんの頭の中に入っていった。本間さんはそのままことんとベランダのコンクリの上に倒れた。

「あ、朱陽、なにをしたの？」

朱陽が梓を振り仰いで微笑んだ。その笑みは今までのような子供っぽいものではなく、女神のような慈愛に満ちた微笑みだ。だが一瞬後には、元のような無邪気な笑顔に戻る。

梓は本間さんの体を部屋の中に戻した。

「本間さんは自分の子供のよしちゃんより、今落ちそうになっていた朱陽を助けてくれたね……」

ソファの上に本間さんの体を引き上げ、落ちていたブランケットをそっとかける。

「本間さんも本当はわかってたんだ。よしちゃんがもういないこと……」

リビングに置いてある家具の上すべてに、本間さんとよしちゃんが一緒に写っている写真が飾ってある。どれだけ本間さんが自分の子供を愛したか。

でも本間さんはおかあさんなのだ。おかあさんはすべての子供の母親だ。だからためらいなく落ちそうになっていた朱陽を助けた。自分の子供の手を離しても。

よしちゃんは笑っていた。

よしちゃんは心配だったのだろう、いつまでも自分の死にとらわれ嘆き悲しむ母親のことが。でもこれで少しは安心できただろうか?

「蒼矢はわかってたの？　よしちゃんのこと」

「？」

蒼矢が不思議そうな顔をする。神の子たちにとって死者と生者の差はあまりないのかもしれない。蒼矢は自分に優しくしてくれたよしちゃんの願いをかなえたかっただけなのだろう。

「さあ、もう帰ろう、みんな」

朱陽が梓と手をつなぎにくる。白花も別な方の手をつないだ。大きなあくびをする玄輝を、蒼矢が手を引いて連れてくる。

リビングのドアを閉める前に、梓はソファの上の本間さんを見た。本間さんは穏やかな顔で眠っていた。

終

神子たちは毎日六合の白米を食べ、お昼寝し、お散歩する。

ベビーカートで公園まで行き、すっかり仲よくなった近所の子たちと走り回る。

朱陽と蒼矢はよくしゃべるようになり、子供同士でさかんにおしゃべりしているようだった。白花と玄輝はまだ念話のほうが多い。

一日、三日、五日と、子供たちはめきめき大きくなっているような気もするし、変わっていないような気もする。

梓は公園のママたちの間では「梓ちゃん」と呼ばれている。子供の体調管理から最近の流行り(はや)まで、いろいろと教えてもらっていた。

「そういえばねえ」

エリカちゃんママが編んでいた毛糸の靴下を膝の上に置いて言った。

「あの本間さんに最近会ったんだけど、お元気になられたみたいなのよー」

「え、ほんとー？」

ユーショーくんママは毛糸の帽子を編んでいる。

「最近学校に通っているって話なの」

「学校ー？」

「保育士の資格をとるんだって言ってたわー」

「へえ、すごいじゃない。なんのかんのと言っても乗り越えていかなきゃねえ」

マドナちゃんママも毛糸のケープを編みながら言った。

「そうね、悲しんでばかりもいられないものね。人は生きていかなきゃいけないんだもの」

ねえ、と話を振られたが、梓はマフラーの目を数えていたところだったので返事ができなかった。今、ママたちに編み物を教えてもらっているところだ。

「今度ランチに本間さん誘ってみる？」

「そうねー」

「梓ちゃんも紹介しなきゃねー」

「え？　あ、はい、よろしくお願いします」

マフラーから目をあげて梓は曖昧に笑った。本間さんは自分を覚えているだろうか？　全て夢だったことになっているといいが。

あのとき、朱陽が本間さんに与えていた赤い光。あれはもしかしたら情熱のようなものではないいろうか、と梓は思っている。ふっきれたわけではないだろうが、本間さんは子供を思って泣き暮らすより、前へ進むことを決意したのだろう。

よしちゃんが消えるときに言っていた、「いつでも、いっぱい、みんな」という言葉。あれは子供たちの中によしちゃんがいるということだ。子供なら誰もが本間さんのよしちゃんなのだ。

本間さんはきっとそれに気づいたのだろう。それで諦めたり納得したりできるわけではないだろうが、心の支えにはなるかもしれない。

梓はマフラーを膝に置いて、公園内で遊んでいる神子たちを見つめた。

蒼矢はグルグルに乗って回っている。白花はブランコの順番を待っている。朱陽は木の下でお友達と地面に絵を描いているようだ。玄輝は――

玄輝はベビーカートに入ったまま、水飲み場の水を大量に吹き上げさせていた。周りに子供たちがいてきゃっきゃと歓声を上げている。水が花になったり鳥になったりしているのだ。幸い(さいわ)ママたちは気づいていないようだった。

「げ、玄輝、ストップ、ストップ！」

梓はベンチから立ち上がり、カートの方へ向かって走った。玄輝は細く出した水でチョウチョ結びを作ったりしている。

「わー、だめーっ！」

小さな体をカートから抱き上げると、水のリボンはびしゃっと地面に落ちた。

「この世界では神様の力使わないで」

どこまで通じるかわからないけど言い聞かせる。玄輝はぼーっと梓を見ていたが、やがてコクリとうなずいた。

「あー、あじゅさー、だっこー！」

気づいた朱陽と白花が駆けてくる。蒼矢もグルグルから飛び下りて走ってきた。

四人の子供がいっせいに梓によじ登ろうとする。梓は子供たちを順番に抱き上げ、青い空に高くあげる。

「俺たちも一緒に前に進もうな」

梓の言葉に子供たちは笑い声をあげた。

第四話

神子たち、遊ぶ

二月なのに今日はずいぶん暖かい。冬のこんな日を小春日和というのだと、マドナちゃんママに教えてもらった。

梓はベンチに座って子供たちが公園で遊んでいる様子を眺めていた。

もっとも中のひとり、玄輝は梓の膝の上で眠っているが。

「梓ちゃーん、こんにちはー」

ユーショーくんママがユーショーくんの手を引いてやってきた。

「あ、こんにちは」

「今日はあったかいわねー」

「そうですねー」

ユーショーくんはママがベンチに座るとすぐに滑り台に走って行った。

「梓ちゃんのところの四つ子ちゃんも元気そうね」

「はい、おかげさまで」

四人の子供は梓の姉の子供で四つ子ということになっている。ママたちの間ではいつのまにか姉はバリバリのキャリアウーマンで、管理職という設定になっていた。

「マドナちゃん風邪ですって。この時期は気をつけないと」

「はい、気をつけます」

梓は砂場にいる白花を見た。

冬の砂は冷たいと思うのだが、白花は手袋を外している。小さなバケツを使っていくつもの山をこしらえているところだった。

白花は始めたことはいつも最後までやる。途中でやめさせるとひどく不満気な顔をするが、しぶしぶと諦めてくれる。今日は白花の気の済むまで砂場遊びをさせるつもりだった。

朱陽（あけび）と蒼矢（そうや）はジャングルジムを使って鬼ごっこをしている。

「朱陽ちゃんは二つなのに、すごく運動神経がいいわねえ」

ユーショーくんママは感心したように言った。

「うちの子なんて、三つになるまでジャングルジムの上にはのぼれなかったわよ」

「そうですね、朱陽は体も大きいし、腕の力も強いようです」

今も見ているとするすると上までのぼっていく。

朱陽はなんでもひとりで思いつき、始めるが、蒼矢は朱陽のまねをすることが多い。

そのくせ蒼矢はプライドが高く、反抗ばかりする。梓の言うことも最初に「いや」から始まって、すんなり聞いたためしがない。

「男の子ってそうなのかなあ……」

自分が子供だったときのことは覚えていない。もし、蒼矢と同じような感じだったとしたら、母親は手を焼いていただろう。

「男の子はねえ」

　ユーショーくんママも笑いながら言う。

「やめなさいっていうことばっかりやるのよねー。そのくせひとりにするとたんに泣きべそをかくんだから。うちの子もずっとそうだったわ」

「そうですか」

「言葉使いが乱暴でね。いわゆる肛門期（こうもんき）っていうの？　うんちとかおしっことかそんなことばっかり言って。どこで覚えたのか〝ちくしょー〟とか〝くそ〟とか〝ぶっころす〟とか言うのよ。ほんとやんなっちゃう」

　同じ〝男の子〟である梓には耳が痛い。

「でもね」

　ユーショーくんママは笑って言った。

「本当に真剣にお願いしたら、言ってはいけないところでは言わなくなったわ。子供なりにちゃんとわかるのよね。赤ん坊とちがって話が通じるっていうのは、ほんと、すごく助かったわ」

「そうですかー」

　白花は自分の周りに山をいくつもこしらえて、ようやくバケツを置いた。今度はその山に砂を盛ったり削ったりして高さを調整している。彼女なりのこだわりがあるようだ。

梓は玄輝を抱き上げると砂場に向かった。

「白花」

声をかけると白花は顔をあげ、にっこりと笑った。

「たくさんお山つくったね」
（ウン）
白花の手で整えられていく山は奇妙にリアルな形をしている。三つほど連なった山は山脈のつもりなのか。

腕の中で玄輝がもぞもぞと動いた。顔をあげて目をうっすら開く。

「玄輝、起きたの？」

玄輝はコックリうなずくと、下りたいように体を動かした。梓が砂場に下ろしてやると、白花の砂山には興味を示さず、蒼矢たちが遊んでいるジャングルジムの方へ駆けだしていった。

梓はそれを見送ったあと、白花のそばにしゃがみこんだ。白花は砂山の下の方を掘り始めている。

「トンネルつくるの？　白花」

梓が聞くと大きくうなずく。

砂山にトンネル。梓も小さな頃つくったことがある。大きな山をつくってトンネルを堀り、そこに水を流した。砂場が水と砂で泥だらけになり、自分も泥まみれで母親に怒られた。

「……水は流しちゃだめだよ、白花」

一応注意する。夏ならともかく、いくら暖かいとはいえ、この二月に泥水をかぶるのはまずいだろう。

（ナガサナイ）

白花が念話ですぐに答えてきた。

白花は山の下を掘り進んでいく。山が崩れないように、何度も砂で補強した。ひどく真剣な顔だ。

やがて無事開通したらしい。白花が梓を見あげて笑った。

そのあと白花は砂場に腹這いになると、そのトンネルの中を覗き込んだ。

（あーあ）

地面に頬をくっつけるようにしてトンネルを覗く白花に梓は苦笑した。これでは服は砂だらけだ。

（でもいいや、砂なんかはたけば落ちるし、汚れても洗えばいい）

そんなことより白花が楽しそうにしている方が嬉しい。

白花は山の片側から覗き込んだあと、体の位置を入れ換え、別な方からまた覗いた。

ふと、梓はそのトンネルになにがみえるのだろうと興味を持った。

砂場のトンネルなんか覗いた記憶がない。

子供の頃は自分も覗いていただろうか？　水を通した記憶はあるのに、それはない。

子供たちが見ているものを自分も見たい、と思った。

振り返るとユーショーくんママは遅れてやってきたエリカちゃんママと話し込んでいる。

大きな自分が砂場で横になっても気にはしないだろう。

「白花、俺にもトンネル見せてくれる？」

梓がそう言うと、白花は体をずらしてくれた。

砂場に膝と手をつき体を伏せる。目の前にある砂の粒がけっこう大きく見えた。砂の山も下から見上げるとかなり大きい。

今、俺は蟻（あり）の視点ってやつになってるのかも、と梓は思った。

こんな真似、子供がいなきゃ、大人になってからやってみようなんて思いもしなかっただろうな。

掘られたトンネルに顔を近づける。トンネルの穴は暗かった。白花が山をいくつも重ねてつくったのだから、けっこうな長さがある。

それにしても暗い。向こう側の白花が見えないほど暗い。

真っ暗だ。いや、何か明かりが見える。オレンジ色の。

「あ、あれ？」

梓は顔をあげ、辺りを見回した。

オレンジ色は照明だ。壁にそって規則正しく並んでいる。

壁？

梓はいつのまにか背後と正面がコンクリートでできた細長い通路にいた。いや、これはトンネルじゃないか？

ブオーッと背後から音がして、振り向くとまぶしいライトが近づいてきている。車だ。

梓はあわててコンクリの壁にはりついた。

その目の前を車が通りすぎてゆく。

（やっぱりトンネルだ）

公園の砂場の砂山につくられたトンネルを覗いていたら、本物のトンネルに来てしまった。

「っていうか、ここどこのトンネルなんだ？」

もし、東京から遠く離れた山の中だったりしたら、どうやって戻ればいいんだ！

こうなったのは白花がつくったせいだろう。境界を守護する四神が作った山に、うっかり入り込んでしまったのだ。

「白花――ァッ！　白花――！」

声に出して呼んでみる。わんわんと音が反響した。答えるものはいない。

「と、とりあえずトンネルを出よう」

トンネルの入り口には必ずトンネル名が書いてあるはずだ。さっきの車は日本車だったから、少なくともここは日本のどこかの山の中だ。

梓はトンネルの壁に沿って走り出した。

「まずいよー、子供たちを長いこと放っておくわけにはいかないのに」

タンタンタンタンと梓の足音が天井に、壁に響く。それ以外はもう音はない。

オレンジ色のライトの前を通るたびに息が白く凍るのがわかる。先の方には光は見えない。今は夜なのか、それともこのトンネルがかなり長いのか。

自分は出口に向かって走っているのだろうか？　このトンネルは本当に実在するトンネルなのか？　いや、実在するに決まっている。さっき車が通りすぎたじゃないか。

だが、さっきのあれは本当に車だったか？　暗闇が見せた幻だったんじゃないのか。

ビシッ！

ふいに梓の耳に自分の足音以外の異音が聞こえた。思わず立ち止まる。

バキンッ！

なにか、固いもの同士をぶつけるような音。

「な、なんだ？」

梓は音がする方を見上げた。上？　天井？

「――あ、」

オレンジ色のライトが照らす範囲だけだが、そこに大きな亀裂が入っているのが見える。

「え……、これって……」

梓の脳裏に数年前起こったトンネル事故のニュースが甦った。確か天井の鉄板が崩れて大きな事故になっていた。これは鉄板ではなく、トンネルのコンクリに直にひびがはいっている。

見ているうちにヒビが左右に伸び始めた。カラカラと小さなかけらが落ちてくる音もする。トンネルの構造に詳しくない梓でもこれが危険な兆候だとわかる。

「や、やばやばやば……っ」

すぐに知らせなきゃ。だけど今は携帯もなにも持っていない。

うろたえる梓の目にトンネルの先の方の緑の光が映った。それは電話のマークを表している。

「電話？　非常電話か！」

トンネルの中には交通事故の連絡のために何メートルだかわからないが、間隔を空けて非常電話が設置されていると、聞いたことがある。確か中学の修学旅行のとき、バスガイドさんがそう教えてくれた。受話器をあげれば管制センターにつながると。

梓は非常電話まで走ると、ためらいなくその受話器をとりあげた。

『――はい、道路管制センターです』

「あ。あの、あの、トンネルにひ、ひびが入ってます！　天井が崩れそうなんです！」

電話の向こうの相手は一瞬息を飲み、だがすぐ冷静な声で質問してきた。

『――もしもし？　そちらはどなたですか？』

「と、とおりすがりのものですっ、い、今にも崩れそうです。早く車の出入りを止めるように指示してください！」

受話器の向こうでなにか警報のような音がした。相手の声が真剣になる。

『もしもし、お名前をお聞かせください――』

梓は電話を切った。

信じてくれるかどうかわからなかったが、わざわざ遊びで管制センターにまで電話をかけるバカもいないと判断してほしい。

あとは崩れるまで誰もこのトンネルを通らなければ――

正面からライト！　思ったそばからか！

梓は道路の真ん中に飛び出し両手を振った。

「とまれ――とまれっ！」

こんなトンネルの真ん中に人がいるはずはない。ドライバーは仰天したことだろう。願わくば幽霊だとか思わないでほしい。ブレーキをかけてとまってくれ――。

光が梓の全身を包んだ。甲高いブレーキの音。

「ば………ばっかやろうっ！　なにしてるんだ！」

ドライバーが車の窓から顔を出して怒鳴る。梓はほっとして車に駆け寄った。

「早く引き返せ！　天井が崩れるぞ！」

「えっ？　えっ？」

「天井にヒビがはいって伸びてるんだ、今にも崩れるかも――」

言い駆けたとき、背後でズドン！　という大きな音がした。続いて梓たちの真上まで亀裂が一直線に伸びてくる。

「うわあっ！」

「戻れ！　バックしろ！」

梓が叫んだのと車がすごい勢いでバックしたのが同時だった。梓はその車のあとを追った。振り向くと亀裂が同じ速度で追いかけてくる。

車のライトの向こうに丸くぽっかりと白い空間が見える。

出口だ！

梓はその白い空間に向かって走った。だが突然その空間が暗くなる。なにかが遮っているのだ。なにかが？　トンネルの出口をふさぐような巨大なものが？

それは、人間の目だった。

誰かがトンネルを覗き込んでいるのだ――

「あ、れ？」

梓は顔をあげた。髪の毛から砂がぱらぱらと落ちる。

砂山の向こうに白花がぺたりと座り込んで梓を見ていた。

「あれえ？」

ここは公園の砂場だ。振り返るとベンチに座っているママたちがあきれた顔でこっちを見ている。やっぱり男の子ねえとか言っているらしい。

ということは、自分の姿が消えたわけではないようだ。

梓は自分の頬を触った。ざらりと砂の感触がある。

もう一度砂場に顔をつけて砂山のトンネルを覗いてみたが、向こう側にちゃんと穴が空いている砂山のトンネルでしかなかった。

（夢だったのか、それとも戻ってきたのか）

顔をあげると白花がにこにこしながら梓を見上げている。

「ん――……？」

梓はこめかみを押さえたが、今のが夢か現実かはわからなかった。

梓が砂場で悩んでいる間も、朱陽と蒼矢と玄輝はジャングルジムをのぼったりおりたり中をくぐったりして、遊んでいた。

朱陽はどんどん高いところに登っていく。てっぺんで蒼矢を待つと、すぐに下におり、また別な足場をのぼっていく。

蒼矢もそれに懸命についていくが、朱陽ほど手足の力が強くないのでどうしてももたついてしまう。

玄輝の方ははなから上に登る気はないらしく、下の方をくぐっているだけだった。

「げんきー！」

てっぺんにのぼった朱陽が下にいる玄輝に手を振る。玄輝も手を振り返したが、ふと地面に目を落とし、気づいた。地面にも朱陽がいる。

上で朱陽が手を振れば、地面に落ちた朱陽の影も手を振るのだ。

玄輝は一段登って地面の自分に手を振ってみた。影が手を振りかえす。

「………」

玄輝はおもしろくなったようだ。ジャングルジムを移動しながら地面の影に向かって手を振る。

そのうち、手を振り返す影が隣に増えた。

玄輝は自分の隣をみたが、そこには誰もいない。

地面を見るとまた別な影が手を振っていた。

玄輝も手を振る。

ひとり、ふたりと影が増えてくる。

「……」

玄輝が見ているうちにジャングルジムは大勢の子供の影で真っ黒になった。

玄輝が手を振ると、その影たちはいっせいに手を振り返してくれた。

「――げんき！」

地面の上で蒼矢が名を呼んだ。玄輝はぱちんと目をあけると、もう一度地面をみた。そこには四角い骨組みと、そこに乗っている玄輝の影だけがあった。

「……」

玄輝はジャングルジムから下りた。

「げんきー、ぶらんこ、のろー」

蒼矢が手を伸ばす。玄輝はその手をとった。ぐいっと力強くひっぱられる。

たったと走っていく蒼矢にひっぱられながら玄輝はもう一度ジャングルジムを振り返った。

ジャングルジムの上に、影のような子供たちがたくさん遊んでいた。

蒼矢は玄輝と一緒にブランコまで来た。ブランコは二基しかない。それはいま蒼矢より年上の男の子が二人、乗っていた。

蒼矢はしばらく男の子たちがブランコを漕ぐのを見ていたが、やがて焦れてきた。

「ぶらんこー、そーやものるのー！」

漕いでいる男の子に向かって言う。

男の子たちはちらっと蒼矢を見たが、止めようとはせず、いっそう力をいれて漕ぎだした。

「あーとーでー」

「そーや、のんのー！」

「あーとーでー」

「むー、」

蒼矢は男の子たちを睨んだ。蒼矢の足元の砂がゆっくりと動き出す。

くるり、くるり。

足元の砂が円を描く。蒼矢を中心に小さなつむじ風が巻き起こっていく。

はっと玄輝が蒼矢の手をひっぱったときには、蒼矢の周りで成長した風が、ブランコに乗っていた子供に向かって放たれたときだった。

砂を含んだ風が男の子の顔にぶつかった。男の子は突然顔に砂をかけられたようになり、驚いてブランコを止めた。両手であわてて顔を払う。蒼矢はにやりとした。

男の子は「目ぇ、いてー」と言いながらブランコを降りた。もうひとりもブランコを止める。

「目に砂はいったー」

そう言いながら水飲み場の方へ歩いていく。もうひとりも降りてそのあとを追った。

蒼矢は玄輝に笑いかけてブランコに乗ろうとした。そのとき。

「ぶらんこー」

「蒼矢、ずるいことしちゃだめだ！」

走ってやってきた梓が、蒼矢の頭をごつん、と叩いた。

蒼矢は驚いた。頭に受けた衝撃はもちろん痛かったし、ずるいと自分を責めた梓の言葉の意味にもショックを受けた。

「今、青龍の力を使っただろう。その力はそんなことのために使うものじゃない！」

「……………う、」

蒼矢の顔がくしゃっと歪(ゆが)んだ。唇が波うち、目に涙が盛り上がる。

「あじゅさのばかーっ」

蒼矢が泣きだしたとたん、小さなつむじ風が巻き起こった。風はブランコの足元の砂を巻き上げ、灰色の固まりとなって梓を襲う。

「蒼矢、やめなさいっ！」

梓は両手で顔を覆って叫んだ。

「やーの！　あじゅさのばか、きらい、あっちけー！」

ガチャンガチャンとブランコの鎖が揺れる。それは人も乗っていないのに、大きく揺れだした。

「………っ」

玄輝が風に顔を打たれながらも蒼矢のそばに寄り、その肩に手をかける。

「いあっ！」

蒼矢はその手を振り払った。勢いで玄輝の体が揺れる。そこにブランコがぶつかりそうになった。

「玄輝！」

梓が飛び出し、玄輝の体に覆い被さった。

ガツン！

はっと蒼矢は目を開けた。今、とてもいやな音を聞いた。涙が蒼矢の丸い頬を滑り落ちる。

「いたた……」

蒼矢の前に梓がうずくまっていた。その胸の中に玄輝を抱え込んでいる。梓のこめかみから血が細く流れていた。

「……あ、」

「玄輝、けがはない？」

梓が顔をあげて玄輝を覗き込んでいる。玄輝は眉をしかめ、梓の傷ついたこめかみに触れようとした。

「ああ、大丈夫、ちょっとぶつかっただけだ」

梓はそう言って蒼矢の方を向いた。

蒼矢はもう泣いていなかった。ひくりひくりと喉を動かし、体をこわばらせている。

「蒼矢」

梓の声に蒼矢はびくっと身をすくめた。

梓は手を伸ばすと蒼矢の頭に手を置いた。

「大丈夫、大丈夫だよ」

ぐりっと撫でられて蒼矢はつぶっていた目を開けた。梓が笑っている。

「さっき、いきなり叩いてごめん。蒼矢もびっくりしたね。でも蒼矢が力を使ったことは、あの男の子たちを蒼矢と同じ気持ちにさせたんだよ」

「………」

「蒼矢はね、とっても強いんだ。だから、自分のために人を驚かせたり、傷つけたりしちゃだめだよ。約束して」

「……ちゃ、ない」

蒼矢はうつむいて小さな声で言った。

「え？」

「ちゃ、ない、そーや、そんなのちゃないもん！」

そう言うと、いきなり走り出す。

（ちゃないもん！　そーやわるくないもん！）

梓の流す血が怖かった。もしかしたら玄輝にブランコがぶつかっていたかもしれないと思うと、胸がどきどきする。

「あっ」

蒼矢は足をもつれさせ、地面の上に腹這いに転んだ。手と膝にジン、と痛みが走る。

「うう……」

また顔と目の奥が熱くなる。蒼矢が泣きだそうとしたとき、

「だいじょうぶかよ」

目の前に影が差した。顔をあげるとさっきブランコにいた男の子たちだ。

ひとりが蒼矢の体を持ち上げ、ひとりがしゃがんで蒼矢の膝をはたく。

「へーきか？」

蒼矢はびっくりした。さっき自分が風をぶつけた子たちが、今はこうやって助けてくれる。

男の子の顔が水で濡れている。さっき自分が砂をかけたからだ。

「……………」

「だいじょうぶ？」

黙っている蒼矢に男の子が心配そうに言った。

「………だいじょぶ」

ようやく蒼矢が言葉を絞り出すと、にっと笑って頭を撫でた。さっきの梓と同じしぐさだった。

男の子たちはそのまま向こうへ走っていった。

「蒼矢」

梓が玄輝を抱き上げて近づいてきた。

「大丈夫？」

蒼矢は梓を見上げた。こめかみにもう血は流れていない。ほっとした。

「さっきのおにいちゃんたちだね」

梓は、コンクリートでできた小さな山のような遊具にとりついている男の子たちを見ながら言った。

遊具には石でいくつもでっぱりがつけられ、それを足掛かりにしてのぼったり、くり抜けられた穴をくぐったり、反対側には広くなだらかな坂もつくられていて、滑ることもできる。

「蒼矢、みんな一緒なんだ」

梓が蒼矢の頭を撫でて言う。

「みんな、ブランコで遊びたいし、誰かが転んだら心配するし、頭をごっつんしたら痛いし、顔に風が当たったらびっくりする。だからね、蒼矢。蒼矢がいやだと思うことはしちゃいけない」

「………」

蒼矢は口をへの字に曲げた。梓の言っていることはわかる。わかるけれど、どう答えればいいのかわからない。

梓はふうっとため息をついたが、その顔は微笑みのままだった。

「ねえ、蒼矢、おにいちゃんたちのいるとこ行こうか」

蒼矢は動かなかったが、梓に手を引かれると、そのあとについてノロノロ歩いた。

山の遊具にはさっきの男の子たちの他、数人の子供が登ったり降りたりして遊んでいる。梓が玄輝を山の上の方に抱き上げると、玄輝は手を伸ばして山にとりついた。蒼矢は地面を見たまま、動かない。

山の上に登った玄輝は四つんばいになっていた体勢をゆっくりと起こした。その体がぐらりと揺れ、近くにいた女の子にぶつかった。女の子はあっと言う間にバランスを崩して山から落ちそうになる。

「あぶないっ」

梓がその子に駆け寄ろうとするより早く、足元から大きな風が巻き起こった。風は倒れた子供をふわりと抱き留めると、また山の上に押し上げた。

女の子はきょとんと山の上でしりもちをついている。

「蒼矢……‼」

梓が振り向いて、蒼矢を抱き上げた。

「すごい、今の蒼矢がやったの？　あの子を助けてあげたんだね！」

「……おちたらいたいもん」

蒼矢がぽつりと言う。

「そーや、いたいのいや」

「そうだね」

梓は蒼矢を抱いてその背中をぽんぽんと叩いた。蒼矢は梓にしがみつき、肩に顔を埋めている。

「あじゅさも………いたい？」

「え？　ううん、もう痛くないよ」

「………ごめんなしゃい」

「蒼矢――」

蒼矢はぐいぐいと顔を梓の肩に擦りつけた。そのあとぱっと顔を離して腕の中で身をよじる。

「おりるー！」

「あ、うん、はいはい」

梓が下ろすと蒼矢は山の遊具にとびついた。石を足掛かりにどんどん登っていく。

「気をつけてー」

「らくちょー！」

蒼矢はたちまち上まで登ると両手をあげてばんざいした。その蒼矢に玄輝が服をひっぱって一緒に滑ろうと誘う。

蒼矢と玄輝は一緒に短い坂を滑り降りた。そしてまた駆け上がっていく。

梓は微笑んでそれを見守っていた。


朱陽は公園のぐるりを囲む低木の茂みの下にいた。

そこに一羽の雀が横になっている。雀は目を閉じ、足を曲げ、体ももう硬くなっていた。

朱陽はその雀をさっきからずっと撫でていたのだ。

「あえびのちんちぇき……おっきして」

だが雀は動かない。小さな蟻が雀の体によじのぼってきた。

「だめよー」

朱陽は指で蟻をつまむと地面に戻した。

「おっき、ないのー？」

小さなくちばしや冷たくなったおなかを撫でる。

「……」

朱陽は雀を掴むと体を起こして公園の中を見た。

梓がコンクリの山のところにいる。蒼矢と玄輝が山の上にいるようだ。

朱陽は雀を両手で大事に抱え、梓の元まで走った。

「あじゅさー」

呼ばれた梓は朱陽が白い息を吐きながら駆け寄ってくるのを見た。手になにか持っている。

「どうしたの、朱陽」

朱陽は答える前に手の中の雀を梓に差し出した。

「うわ、これって」

形はそのままだが、一目で死んでいるとわかった。

「朱陽、これどうしたの?」

「あちょこにいた」

朱陽は振り向いて、今まで自分のいた低木の茂みを指さした。

「おっきしないの。ねんね?」

「そうか……」

梓はしゃがんで朱陽と視線をあわせた。

「朱陽、この子ね、死んでるんだ」

「ちんでる?」

「うん、もうね、魂がこの中にいないの。もうお空に還ったんだね」

「タマチイ?」

梓は立ち上がると朱陽に手を差し出した。朱陽がその手の中に自分の手を入れる。

梓と朱陽は手をつないで、茂みの方へ向かった。

「こないだ、よしくんに会ったでしょ？」

「ん……」

朱陽はちょっと考えるように首を傾げた。このくらいの年齢の子には時間の観念がまだない。こないだというのがわからない。

「あそこの背のたかーいおうちに朱陽が行ったとき、よしくんに会ったよね」

「ん、よしくん、いた」

朱陽は思い出したようだった。

「この雀もね、よしくんと同じところへ行ったんだよ」

「ここ、いるよ？」

朱陽は梓の手の中の雀を見る。

「うん――」

梓は低木の下に素手で穴を掘った。その穴に雀を置く。

「魂のいなくなった体はね、こうやって土に還してあげるんだ。そうしたら雀はいつかこの木になって、またお友達の雀と一緒に遊ぶことができる」

「しゅじゅめ、きになるの？」

「うん、木とか、草とか、お花とか……。魂はお空に還って、命はみんなに返るんだ」

「ふーん」

朱陽はよくわからない、という顔をした。だが、梓を手伝って雀の体に土をかける。

「あえびのちんちぇき、ねんね」

「そうだね、ねんねだね」

ぽんぽんと土を叩く。枯れ葉を乗せるともうどこに埋めたのかわからなくなった。

「お手々洗っておうちに帰ろうか」

「ん！」

朱陽は梓と手をつないで水飲み場に向かった。

振り向くと、雀を埋めた茂みからむくむくと木が伸びていくのが見えた。

木はたちまち大きくなり、空の中にたくさんの枝を伸ばす。その枝からは葉が伸び、たちまちこんもりとした森のようになった。

たくさんの雀がその木に集まってきた。雀がその木に飛び込むと、無数の葉がたちまち舞い散り、たくさんのちぎれた雲となった。

西に沈む夕日が金色の光をその雲ひとつひとつに投げかけて、夜の暗さを押しとどめようとしている。

「朱陽？」

梓が振り向いた。朱陽は空を指さした。

「ああ、きれいな夕焼けだね」

「しゅじゅめがくもになったよ」

「そうなんだー」

朱陽はうふふ、と笑って梓の足に抱きついた。梓は朱陽を抱き上げると、前方に向かって手を振った。

コンクリの山から蒼矢と玄輝が駆けてくる。砂場から白花も走ってきた。

「さあ、みんな。帰ろう」

梓は四人をベビーカートにいれた。

「ちゅっぱーつ！」

蒼矢が号令をかける。

梓はカートを押した。眺めると、他の子たちもバラバラに散らばり、ママたちも自分の子供と手をつないでいる。

「さよーならー」

誰かが手を振った。影になって顔はわからない。

「さよーならー」

梓が手を振る。カートの子供たちも立ち上がって公園に向かって手を振った。

「しゃおーならー」

「しゃいならー」

帰り道はあちこちの窓からいい匂いがしていた。

「ごはんー」

「おっこめー」

朱陽と蒼矢が騒ぐ。梓のカートを握る手に力がこもる。

「さあ、帰ろう、おうちへ」


その晩、ごはんのあとテレビをつけていると、トンネル事故のニュースが入った。東北の方の山の中のトンネルが、二〇〇メートルに渡り崩落(ほうらく)したという。

崩落直前、利用者が道路管制センターに電話をかけ、トンネルに入ってきた車を止めてバックさせたため、けが人はでなかった。

しかし、その利用者の行方がわからないため事故現場で捜索が続いているという。

「うわ、しまった。ご迷惑をかけてしまっている――」

インタビューを受けているドライバーの映像が映った。

「いや、最初は幽霊かと思いました。突然現れて車を止めてくれたんです。あの人がいなかったら崩落に巻き込まれていましたよ。ぼくはあわててバックで戻ったんですけど、あの人の姿はそのあと見えなくなって――」

梓はそのあと家を出て公衆電話から道路管制センターに電話をし、自分が無事であることと、捜索は不要であることを伝えた。管制センターでは名前と住所を聞きたがったが、梓はすぐに電話を切った。

「やれやれ………」

どっしりと疲れが肩に落ちた。アマテラスが子供たちは梓の気をもらう、と言っていた。公園で遊んだあと、こんなふうに疲れることが多い。これがそのことかもしれない。しかし一晩眠れば回復するので、あまり気にしたことはない。

空を見上げると星がふるふると震えるように瞬いている。くっきりと晴れた空は明日もいい天気であることを告げていた。

(明日はなにがあるのかな)

子供たちとの毎日はいつも冒険だ。

梓はまた新しい物語をつくるために、子供たちの待つ家へと走った。

第五話

神子たち、里帰りする

序

「てんじっ、はいあーあーと！」

「てんじっ！　うるーどあごん！」

（ちぇんじ！　西ノ守護者、白鋼（しろがね）ノ精霊ほわいとたいがー！）

「………っ、………っ！」

日曜の朝は大変だ。

テレビの前で神の子供たちが玩具販売促進広告に踊らされている。

うっかり見せた幼児向け特撮番組に、四人の子供たちは絶賛大ハマリ中。なにせ今期の番組はタイミングがいいのかわるいのか、主人公は世界の四方を守る四神の化身という設定だ。タイトルは「四獣戦隊オーガミオー」。

神社に務める神主たちが、タカマガハラランドにいる神の化身（けしん）、九龍（くりゅう）長官の指令を受け、悪の暗黒神スサノウキングと戦う。

南の守護者、紅蓮（ぐれん）の精霊ファイアーバード、東の守護者、蒼穹（そうきゅう）の精霊ブルードラゴン、西の守護者、白鋼(しろがね)の精霊ホワイトタイガー、そして、北の守護者、黒炎(こくえん)の精霊ブラックタートル。

冒頭で子供たちが叫んでいたのがその名前だ。もっとも声を出して叫ぶのは朱陽(あけび)と蒼矢(そうや)だけで、白花(しらはな)は念話で、玄輝(げんき)は声も念話も使わず身振りだけだ。

前半は彼ら四神の化身の神社の巫女や神主たちがわちゃわちゃと遊んでいるのを楽しんで見て、後半、戦いの場面になると興奮して立ち上がりぴょんぴょん飛び跳ねる。おしまいに巨大化した敵と戦うロボ、オーガミロボが出てくる段になるとこれが大変だ。

四人は変身してしまうのである。

オーガミロボは四体の神獣型のロボットで、それが合体して人型になる。

初めてそのシーンを見たときのことだ。神社の裏山が割れて巨大な赤い鳥の形のロボットが出てきた。それを見た朱陽は、息が止まるんじゃないかと思われるくらいの奇声を発して飛び上がった。飛び上がって……降りてこなかった。なんと赤い孔雀(くじゃく)のような鳥の形になってバシバシ天井にぶつかっていたのだ。

次に滝の中から青い龍のロボットが現れた。蒼矢の顔が真っ赤になり、両手を挙げて咆哮(ほうこう)した。そのままぐるんと体がのけぞったかと思うと、竜の形になってこたつの上でとぐろを巻いた。

神社の本殿から虎型のロボットが出てきたとき、いつもおとなしく冷静な白花の目が光った。がばっと畳に伏せたかと思うと虎の形になった。

玄輝にいたっては湖から亀の形のロボットが出たとたん、座ったまま亀になったのだ。

梓(あずさ)は気を失いそうになった。

小さな部屋の中で鳥と龍と虎と亀が走り回っている。たちまち本棚が崩れ落ち、窓ガラスが割れ、食器棚がひっくり返った。

「やめ、やめやめやめ――――!」

テレビでは巨大ロボットが敵を倒し、四神は人間のキャラクターに戻っている。だが子供たちは戻らなかった。

「ど、どうすれば……」

そのときひらめいたのを天啓(てんけい)と呼んでもいい。梓は走り回る神獣たちに向かって大声で叫んでいた。

「みんな、オーガミオー体操だよ!」

リモコンでテレビの音量を上げ、エンディングのキャラクターたちの体操を見せる。梓は率先(そっせん)して踊った。

「もとに戻らないと体操できないよ!」

確かに手をあげたり足を上げたりは動物の姿ではできない。

「ちゃっ!」

朱陽がぱっと人間の姿に戻って蒼矢の上に落下した。

蒼矢は龍のままだったが、朱陽のおしりの下で人間の姿に戻った。

白花はがうがうと玄輝の甲羅を噛んでいたが、アイスクリームが溶けるように元の姿に戻った。

玄輝は亀のまま立ち上がろうとしたが、ひっくり返って元に戻った。

初回はこうして戻ったが、次の週からアクションシーンでは全員必ず変身するようになってしまった。

梓がいくら「やめなさい」と言っても、無駄だった。

だが、エンディングでもとの姿に戻るので、最近では諦めている。

一

「あはははは っ」

梓からその話を聞かされて、火精の紅玉は腹を抱えて笑った。

「笑い事じゃないですよ、紅玉さん」

梓はむくれて言った。

「毎週毎週、本棚を倒されて茶碗を割られる身になってくださいよ」

「まあまあ、特撮は一年放送やろ？　あと一カ月もしたら終わって新シリーズや。そうしたら少し落ち着くんとちゃうか？」

「あと一カ月もこの騒動が続くんですか……」

「それにしてもテレビの影響で神獣の姿をとっちゃうとはすごいわー」

「なげかわしいぞ、羽鳥梓」

水精の翡翠が子供たちの洋服を畳みながら言う。

「そんなくだらんメディアに神を触れさせるとはなにごとだ。変な影響を与えたらどうするのだ」

「す、すみません。でも子供たち、とてもあの番組が好きで、あのドラマから学ぶこともあるんです、友達を大事にしようとか、約束を守ろうとか」

「ドラマだと？　玩具を売るための低俗な金儲け主義の中身のない番組のどこがドラマだ。ただメディアに振り回されているだけだ」

「そのへんにしとき、翡翠。低俗なメディアが好きなのはお前もいっしょやろ」

紅玉が割って入った。

「なんだと？　私のどこが――」

「あんなあ、梓ちゃん。翡翠ってばミステリードラマちゅーやつが好きなんよ」

紅玉の言葉に、梓は「え？」と翡翠を見た。

「前までは社（やしろ）でいくらでもドラマ見られたのが、数年前に地デジ対応になったやろ？　しぶしぶＮＨＫに受信料払ってみているわ」

「へぇー」

ＮＨＫの受信料徴収係の人にお金を払っている水精を想像するとおかしくなる。

「う、うるさいわ！　私は純粋にミステリーを楽しんでいるだけだ。ミステリーは人間が生み出した知恵の結晶、思考の芸術だ。それによって揺れ動く人間の心を観察しているのだ」

翡翠はむきになって言うが、紅玉はからかうように、

「しかも翡翠の好きなのは温泉で殺人が起こったり、作家が殺人事件を解決したり、ルポライターが刑事局長の兄の力を借りて解決したり、遺産相続で連続殺人するようなぬるいミステリや」

「ぬ、ぬるいとはなんだ！　よく練られた伏線（ふくせん）に、何十年も前の怨念（おんねん）絡み、複雑な人間関係をだな、」

「はー、でも、翡翠さんがミステリー好きだとは思いませんでした。俺も学生の頃はミステリーよく読んだんですよー。ホームズ、ルパンから始まってクリスティやカーやクイーンって古典から、マクベインやダン・ブラウン」

「洋モノは……洋モノは……名前が覚えられない」

　翡翠は頭を抱えた。

「大体名前があるのにどうして呼び交わすときは少佐だの大佐だの教授だの警部だのになるんだ。誰が誰かわからないじゃないか！」

「あー、翻訳物はそういうところありますよねー」

　それには梓も同意する。

「日本のものも読んでますよ。松本清張から高木彬光、島田荘司からはいって綾辻、麻耶雄嵩に石持浅海。西尾維新までいったらぐるっと回って横溝正史に戻りましたよ」

「う、内田康夫や山村美紗は」

「あー、なんかジャンルが違うっていうかー」

「浅見光彦シリーズや赤い霊柩車シリーズをばかにするかー！」

　なんだか初めて翡翠とまともにわたりあえた気がする。

「ところでな、今日来たんは梓ちゃんと翡翠のコントを見るためやないんや」

　紅玉が笑いを抑えながら言った。

「べ、べつにコントなんてしてるつもりは」

「私だって笑いをとりにいってるつもりはないぞ！」

「なら本題にはいろうや」

紅玉は畳に座って足を組んだ。その膝に朱陽がぽんと乗る。

「実はな、四神子が無事に孵ったことを知って、タカマガハラの連中が一度顔を見たいと言ってきてるんや」

「へえ」

紅玉は朱陽のふわふわした髪を撫でながら続けた。

「人が孵した四神は久しぶりやさかい、ちょっと不安もあるのやろ」

「里帰りみたいなものですか」

「そや」

「別に俺に異存はないですよ」

「そっか。なら話が早い、じゃあ今から行こか」

さすがにそれには梓も驚いた。

「えっ、今からですかっ」

「そや、善は急げや」

朱陽を抱いて立ち上がろうとする紅玉に、梓は両手を広げて振った。

「ちょ、ちょっと待ってください、里帰りなんでしょ」

「そや」

「なら、おみやげの一つも持ってってもらわないと。ああ、でも今うちになにもない」

　梓は急いで立ち上がった。

「ちょっと待っててください、今西武（せいぶ）か東武（とうぶ）でお菓子でも。あ、神様相手ならお酒がいいのかな、地酒？　ビール？　いや、意外とワインとか？」

「別におみやげなんかいらんで？」

　紅玉が梓を見上げて首を傾げる。梓は財布の中の紙幣（しへい）と小銭（こぜに）を数えながら、

「そんなこと言っても里帰りですよ？　立派に育った子供たちを見せるんじゃないですか。ああ、どうしよう、鳩（はと）サブレくらいしか思いつかない」

「落ち着け、羽鳥梓」

　翡翠がやれやれと頭を振りながら言った。

「私個人の考えで言わせてもらえば、銘菓（めいか）ひよ子がいいぞ」

「それ単にお前が好きなだけやないか」

　紅玉が翡翠の頭をはたいたが、ぴっちりとなでつけられている髪は乱れはしない。

「まあ食べ物で言えばわいは銀たこかなあ」

「おろかもの。そんなもの手みやげにできるか」

「銀たこはお持ち帰りもあるんや」

自慢げに言った紅玉に、翡翠はふんっと大きく鼻を鳴らした。

「だからそんなゲセンな食い物をタカマガハラに持ち込むな。こないだお前がお好み焼きを持ち帰ったせいで、タカマガハラすべてがソース臭くなったわ」

「ゲセンとはなんや、立派な文化的嗜好品や」

「あんな小麦粉とソースだけのカロリーの固まりみたいなものを……」

言い合っている紅玉と翡翠をあとに梓は財布を持ってアパートを飛び出た。とりあえずとらやの羊羹にしておけば問題ないはずだ。


梓が羊羹の化粧箱入り一〇個を抱えて帰ってきたとき、紅玉と翡翠は背中あわせでそっぽを向き合っていた。きっと他人には窺い知れない好物についての戦いが行われていたのだろう。

「あじゅさー」

（オカエリナサイ）

朱陽と白花が飛んできて抱きついた。

「ただいまー」

蒼矢が無言で近づいてきて、どかっと梓の膝を蹴る。

「いたたっ、蒼矢も、ただいま」

「おー」

蒼矢は腕を組んで反り返ると満足げにうなずいた。

「さあ、これからみんな里帰りだよ。お洋服着替えてきれいきれいしようねー」

「しゃとがいり？」

（ドコイクノ？）

梓は二人の女の子の頭を撫でた。

「君たちが生まれたところだよ。卵の時、かなり長い間いたところだけど……卵のときの記憶なんかないか」

「たまごー？」

朱陽は首をかしげて白花を見た。白花も首を振る。蒼矢を見るとぷいっと横を向く。蒼矢は自分の知らないことは無視する傾向にあった。

「そうか、やっぱりわかんないよね。でも君たちが本来いる場所だよ。いつか大きくなったら帰ることになるんだろうね……」

この子たちが帰る？

そんなこと考えてもみなかった。口に出してドキリとする。

そのときがくるのを自分は冷静に受け止められるだろうか？

「あじゅさ、なー？」

（カナシイ？　ドウシタノ？）

女の子二人が心配げな顔でのぞき込んでくるのに、梓ははっとした。

いけないいけない、人の心にふれることのできる彼らに、遠い未来の想像で悲しい気持ちを与えては。

「大丈夫、平気。なぁんでもないよ」

梓はにっこりして二人を抱き寄せた。

「とにかく君たちの生まれたところに帰って……」

そのとき重要なことに気づいた。

「こ、紅玉さん、翡翠さん！」

「あ？」

二人が顔を向ける。

「里帰りしたら……もしかしてこの子たち、両親に会えるんですか？」

「両親？」

二人は同時に同じ言葉を発したので、気まずそうに目をそらした。

「なに言うてるんや、梓ちゃん」

「そうだ、その子たちは四方の気から生まれるのだ、親はおらん」

「あ、そ、そうなんですか……」

なんだかほっとしたような、がっかりしたような。

「わかりました。じゃあ今から着替えさせるんで、そしたら出発してください」

梓は蒼矢を呼んだが、蒼矢は「やーの！」と舌を出して近寄ってこない。最近蒼矢は反抗期なのか、まず否定からはじめる。

「着替えなどいらん、そのままでいい」

「そうや、どのみち向こうついたら向こうの服に着替えるさかいな」

二人が代わる代わる言う。

「あ、そ、そうですか。じゃあこのまま……」

「それにな、梓ちゃん。あんたも一緒に行くんやで」

「ええっ！」

「ほんじゃ、まあ」

「出かけるとしよう」

「ちょ、ちょっと待ってください、まだ心の準備が――」

目の前が暗転した。

まぶしい光に思わず目をつぶる。

ということはさっきは開けていたのだ。

そんなことを考えながら薄目を開けると、一度来たことのある白い砂が続く場所だった。

「どや、梓ちゃん、あっというまやろ?」

「そ、そうですね」

紅玉の言葉に周囲を見回した。

正面に高い塔がある。あそこでアマテラスさまに卵を託されたのはついこの間なのに、もうずいぶん昔のようだ。

「あっきゃー!」

すぐそばで朱陽の甲高い声が弾けた。初めての場所に興奮しているのだろう。

「うおーっ!」

蒼矢も叫んで飛び上がっている。

白花は黙っているが体がすくんでいるので怯(おび)えているのかもしれない。玄輝は翡翠の腕の中でまだ眠っている。

梓は白花を抱き上げた。

「大丈夫だよ、ここはタカマガハラ。君たちの故郷だよ」

(タカマガハラ……)

白花の目がキラリと光る。言葉の念に驚きと喜びがまじった。故郷に帰れて幼いながらも嬉しいのか……。

「タガマラハラ!?　まじーぃ？」

「オーガミオーは？　ちれいかんは!?」

蒼矢と朱陽がきょろきょろしている。白花も梓の腕の中でぶんぶんと首を振って何か探している素振り。

「し、しまった！」

思い出した。四獣戦隊オーガミオーの本部の場所がタカマガハラランドじゃないか。

「くーりゅーちょーかん！」

「あらいはかしぇーー！」

(すくなびこセンセイ！)

タカマガハラランドに駐留(ちゅうりゅう)する上司の名前を呼んで三人は大騒ぎだ。

「梓ちゃん、この子ら何言うとるの？」

「スクナビコ殿のことを知っているのか？」

番組を見ていない紅玉と翡翠がきょとんとする。

「待って待って！　ここは確かにタカマガハラだけど、オーガミオーのいるタカマガハラじゃないよ。あれはテレビだけのお話でしょう？」

梓は興奮する三人をひとまとめにして嘯いた。

「やーの！　タガマラハラのきちいくのー！」

蒼矢がいやがって暴れる。

「あっ、くーりゅーちょーかん！」

梓の肩越しに朱陽が指さす。ぎょっとして振り向くと、タカマガハラ仕様の衣装を身にまとったアマテラスが近づいてきていた。

「ち、違うよ、あれはアマテラスさま……」

「くーりゅーちょーかんー！」

「きゃー！」

朱陽や蒼矢が夢中で手を振っている。そうだった。確かにタカマガハラランドで四獣戦隊に指令を出しているのは、アマテラスさまそっくりの衣装を着た女性司令官、九龍長官だ。こころなしか顔も似ている。

(まずいまずいまずいー！　子供たちが特撮番組にはまっているなんて、翡翠さんじゃないけど神様にはとんでもないことだよな、怒られるー、もしかしてクビになるかもしれない！)

梓は青くなった。

「みんな、おねがいっ！　静かにして。あの人は長官じゃないの、よく似てるけど違う人なの！」

「ちょーかん、ない？」

「そう、長官じゃないの！」

「にしぇものー！」

蒼矢が得たりとばかりに叫んだ。

「にしぇもの、にしぇものっ、ちょーかんのにしぇもの！」

「ち、違う！　やめてやめて蒼矢」

騒ぎ立てる蒼矢の口をふさいだところにアマテラスが到着した。紅玉と翡翠がさっと地面に膝をついた。

「アマテラスさま、羽鳥梓と四神子を連れてまいりました」

「うむ、大儀(たいぎ)であった」

アマテラスは火精と水精に軽くうなづくと、梓に目をやった。

「羽鳥梓、久しいな。元気だったか？」

相変わらず目力(めぢから)の強い美女だ。濃いまつげに縁取られた目で見つめられ、梓は思わず頭をさげた。

「は、はい。ありがとうございます」

「おお。これが孵った四神子か。うむ、みな立派ないい子たちだ」

アマテラスが子供たちの前に膝をつき、視線をあわせた。さすがの子供たちもアマテラスの威厳がわかるのか、おとなしくなる。いや、もしかしたら濃い化粧に驚いているのかもしれない。

「……ところでさっきにせもの、という言葉が聞こえたが、どういうことだ？」

アマテラスが梓ににこやかに聞く。だが、その目が笑ってない。

「えっ、いや、別に深い意味は」

「おばちゃん、くーりゅーちょーかん、ないの？」

蒼矢が不審気（ふしんげ）に聞く。

「おばちゃん……」

ぴくっとアマテラスの眉が動いた。梓は足下の白砂が波のように引いていった気がした。

「くーりゅーちょーかんとはなんだ？」

しかしアマテラスはにこやかな表情をたもったまま蒼矢に聞いた。

「しんねーの？　だっちぇー。タマガラハラのえらーいのひと」

「ほう」

「あのね、きりぇーなひとなの」

朱陽も言った。アマテラスの眉が少し下がる。

「ほう、そうか」

ナイス、朱陽！　梓は思わず拳を握った。

「でもこわーい、けちんぼ。いちゅもぶきかしてくりぇないのー」

「……ほう」

あ、朱陽さんやめておねがい。

（零細企業ダカラ経費節減、残業手当ナシッテ言ウノ）

「ほほう……」

白花、そんなむずかしい言葉で懇切丁寧に説明しなくていいのに。

「羽鳥梓。神子たちが言っていることはあとでゆっくり説明してもらうとしよう」

立ち上がったアマテラスが口元だけでほほえみながら言う。一定の気温に保たれているはずのタカマガハラの温度がすうっと下がった気がした。

「それでは子供たちを連れてついてくるがよい」

アマテラスがくるりと後ろを向き、するすると砂の上を進んだ。不思議なことに砂の上には彼女の足跡はつかない。

やっぱり神様なんだなあ、と梓は変なところに感心した。

子供たちは、とみると、ちゃんと小さな足跡がついていて、ちょっとほっとする。まだ彼らは自分の近くにいるものなのだ。

白い砂の広がる地が珍しいのだろう、朱陽も蒼矢も、珍しく白花も、塔へ到着するまであちこち走り回った。

そのたびに梓や紅玉たちが追いかけて連れ戻す。

おかげでけっこう時間がかかってしまったが、なんとか塔の中に入ることができた。

「あやー、梓さん、お久しぶりやねえ」

塔の中では車椅子に乗ったクエビコと再会できた。相変わらず作業着を着ている。

「クエビコさん、お久しぶりです」

「おわあ、これが四神の童子（わらし）たちけ。めんこいなあ」

子供たちは車椅子に乗った人を見るのは初めてなので、まん丸な目で見つめた。

「おじちゃん、おうちのなかでくりゅまのんの、ちゃいよー」

朱陽が不思議そうに車椅子の車輪に触れて言う。

「おお、そうけ。でもなあ、おらは足が一本しかないがで、これがねえと動けんのだわ」

「あんよ、なー？」

朱陽はクエビコのズボンの片方を持ってひらひらと振る。

「あんよ、どぉこ？　かくしたの？」

「元々ないがやで」

「むー？」

首をひねる朱陽にクエビコは優しい目を向けている。

「あんよ、ないないの、いーねっ」

朱陽はにっと笑って言った。梓は思わず駆け寄ってその口をふさごうとしたが、

「ん？　なんでけ？」

クエビコが穏やかに問うた。

「おちゅめ、きんなくてぃーもん！」

クエビコは笑いだした。

「そうけー、お爪切らんでいいけー。朱陽さんは爪を切るのが嫌いなが？」

「きらーい」

朱陽は心底いやそうな顔をして、体をくねくねさせた。

「あ、朱陽……こっちおいで。すみません、クエビコさん」

梓が朱陽を自分の方へ引き寄せると、クエビコはにっこりしてうなずいた。

「さぁて、それだば四神子をほかの神々にお披露目といこまいか。まずは着替えんにゃあ。

紅玉、翡翠、手伝ってくれっけ？」

「はい、クエビコ殿」

紅玉と翡翠が玄輝を起こし、その場に四人を立たせた。そして二人が手を差し出すと、

その手から白い光があふれ、子供たちを包んだ。

光が一瞬彼らの姿を消したかと思うと、次に現れたのは見たこともない衣装を身につけた子供たちだった。

「わあ！」

あまりのかわいらしさに、梓は思わず叫んでいた。

全員が白いたもとのある衣装に色とりどりの袖なしの狩衣（かりぎぬ）のようなものを身につけている。

髪は全員が長く伸び、複雑な形に結われていた。それぞれが鳥や龍や虎や亀など、自分の象徴をモチーフとした髪飾りや冠をつけている。

「かわいいっ！　みんなすごくかわいいよ！」

梓が手をたたくと朱陽が梓に飛びついてきた。

「かわいー？　あえびかわいー？」

「うんうん！　すっごいかわいいよ！」

朱陽の服には朱雀の象徴か、長い尾羽がついている。袖口にも羽飾りがつき華やかだ。

朱陽は嬉しそうに「きゃーっ」と歓声をあげて梓の手の中でのけぞる。

白花が梓の服の裾をつんつんとひっぱった。

（白花モカワイイ？）

白花の服には白黒の毛皮の縁取りがついている。動く度にどこからか白い小さな花が舞い散った。

「うん、白花もすごくかわいい、とってもきれいだよ」

白花が顔をかくしてくるくる回る。

いやいや坊主の蒼矢も今回は自分の衣装が気に入ったようだ。どこか鎧めいたデザインで、あちこちに龍を彷彿させるような意匠がほどこされている。蒼矢はしきりにポーズをとっている。もちろんブルードラゴンの変身ポーズだ。

「蒼矢もかっこいいね！　とってもすてきだよ」

「おー」

「玄輝もすごくかわいいよ、立派だよ」

もちろん玄輝もほめることを忘れない。玄輝の衣装も鎧風で、男の子はそうなっているのかもしれない。しかし玄輝は自分より、朱陽や白花のふわふわした衣装が気になるようで、彼女たちがぴょんぴょん飛んでいるのをじっと見つめていた。

「ああ、みんなかわいいなー、しまったー携帯持ってこなかった！　写真撮りたかったのに！」

梓はじだんだ踏んだ。

「紅玉さん、みんなの衣装、あとで写真に撮ってメールしてもらえませんか」

「いや、それ無理やで梓ちゃん。どこの世界のカメラが神様を写せるんや？」

「あ、そ、そうなんですか……」

梓はがっかりした。

「心霊写真とかあるから写るかと」

「神と幽霊を一緒にするな、羽鳥梓。バカか貴様」

また翡翠に叱られてしまう。

「さあ、用意もできたし、お披露目といこう」

アマテラスがそう言った瞬間、今まで小会議室程度だった部屋が、コンサートホール並の大きさに広がった。

天井の高さも客席五階分か、そこは今びっしりと、人や、人ではないものの姿で埋まっている。

「うわ、あ……っ」

梓は思わず手みやげに持ってきたとらやの羊羹の袋を抱きかかえた。

こ、これではみやげの数が足りない！

「これが全部神様……」

呆然と梓が呟くと、紅玉がそばに寄ってきた。

「まあ八百万(やおよろず)、というしな。これでもたぶん半分もきてないと思うわ。それに目には見えんもんもおるはずや」

うわーんと会場全体が大きく反響している。神様たちがいっせいに話しているのだ。

神子たちは怯えて梓のもとに駆け寄ってきた。

「だ、大丈夫、怖くないよ。みんな君たちに会えて嬉しいんだよ」

「いやーの、オレかえるの！」

「あじゅさ、ないないして」

（知ラナイ人、イッパイ、怖イ）

「……」

梓は困ってアマテラスに助けを求めた。だがアマテラスは知らぬ顔でクエビコと話をしている。

「紅玉さん、翡翠さん、子供たちが怖がっています。ここから出られませんか？」

「そやな、いきなりはかわいそうやったな」

「一応姿を見せたのだ、もういいだろう」

翡翠が腕を振ると何もなかった空間に布が垂れ下がった。そこを開けると薄暗い空間になっている。

「そこへ子供たちを」

言われて梓は四人を連れてその布の向こうへ駆け込んだ。

「――」

周りから音が消えた。

そこは小さな部屋の中だった。アマテラスのいた部屋とは違い、木材を組んで作られた部屋だ。

そこには部屋の小ささにあわない大柄な男が一人、石で作った椅子に腰掛けていた。

「よーう、四神子、それに人間」

雷のようにビリビリと、声が頭と腹に響いた。梓は思わず子供たちを背後に庇った。

「スサノオさま」

梓のあとから入ってきた紅玉が、驚いた顔をして床に膝をついた。翡翠もあわてて膝を折る。

「スサノオさま、なぜここへお出ましに」

「なに、四神の童子(わらわ)どもが来たと聞いたからな。しかも今回は人間に育てさせたという変わり種だ、見てみたいと思ったのだ」

「え？　スサノオ……って」

確かアマテラスさまの弟で、……ヤンキー？

梓は改めて石の椅子に座っている男神を見た。

この世界の通常の服である白い筒袖は着ず、素肌に皮の胸当てをつけている。腰から下は長めの毛皮を巻き付けているだけのようだった。

鎖のように長く堅そうな髪が流れる頭には、ご丁寧に兜をつけ、衣装だけなら戦闘的な装いだ。

はっと梓は気づいて胸に抱えていたとらやの羊羹、一〇セット入った袋を差し出した。

「あああの、いつもお世話になっております、これつまらないものですが……っ」

「世話をした覚えはないが、供えものならもらっておこうか」

スサノオがちょいと指を曲げると、梓の手からセットの入った袋がひゅん、とすっぽぬけスサノオの手元に飛んだ。

「あっ、いや、全部じゃなくて、」

「やー！　あんこくちん、しゅしゃのー！」

突然蒼矢が叫んだ。

「あじゅさ、あれ、あれ、あんこくちん！」

朱陽も興奮している。

「あ、あんこくちんって……あっ！　暗黒神スサノウキング⁉」

なぜ宇宙からの侵略者が日本の神様の名前をもっていて、しかも英語がまざっているのか理解不能だが、とにかく四獣戦隊の敵の組織の大ボスの名前だ。

「ち、ちが……」

「しゅしゃのー、やっるけるー！」

朱陽が叫んだ。「てんじっ、はいあーばーど！」

「うわあっ、朱陽だめっ！」

「オレもー！　てんじっ、うるーどあごん！」

「蒼矢も！　やめなさい！」

（ちぇんじ！　ホワイトタイガー！）

「白花、いつものいい子はどこへ行ったの！」

「……！」

「うわあああ、玄輝、お前だけは冷静でいてくれると思ったのにいいっ！」

四人の子供は四体の獣に変化した。スサノオは拳に頬を乗せ、そのさまを薄笑いを浮かべながら見ている。

「ほお、四獣の姿まで見せてくれるとは、サービス精神が旺盛だ」

朱雀が飛び上がって口から炎を吐く。白虎が雷を落とした。青龍が風を起こし、玄武が水を噴き上げる。

だが、それらの攻撃はスサノオの周りでことごとく弾かれた。

「な、な、な」

梓は口をパクパクさせ、その様を見守った。

「なんなんですか、あれは！」

そばにいる紅玉にしがみつく。

「子供たち、今まで変身することはあってもあんなふうに火を吐いたり水を出したりしなかったのに！」

「あーそりゃあ無理もないわ」

「無理もないって、なんで！」

「やって、ここはタカマガハラやし。いわば神の気が満ちている場所や。子供たちはいつもお米のほかは梓ちゃんの気しか食べておらんのやもん。力は半分くらいや」

「じゃあ今は」

「八〇パーセントくらいだな」

翡翠が腕を組んで言う。

「そ、そんな！　止めないと……」

「大丈夫やろ、相手はスサノオさまや。子供の四獣相手ならびくとも――――あ、」

朱陽の放った火球がスサノオの髪を燃え上がらせた。

「あ、ち、ち、ち」

スサノオは手で頭をパタパタとはたき、やおら椅子から立ち上がった。

「ガキども、甘い顔しておればつけあがりおって」

「わあっ！　すみませんっ！」

梓は飛んでいってスサノオの前で土下座した。

「すみません、ごめんなさい、許してやってくださいいいっ！」

子供たちが見ているとか、かっこわるいとか、そんなことは頭の中にはなかった。スサノオが見せた怒気に本能的ともいえる畏れを感じたのだ。

暗黒神というのはテレビの設定だが、古事記の記述ではタカマガハラで暴行を働き、地上ではヤマタノオロチを退治した猛者であることは間違いない。

「あじゅさ……」

バサバサと羽音をたて朱雀がそばに舞い降りた。白虎も駆け寄ってくる。青龍は天井あたりでぐるぐる回っていたがやがて降りてきた。玄武もゆっくり寄ってきた。

「みんな、謝りなさい！　この人は確かにスサノオさまだけど、テレビの中の悪い人じゃない！」

梓の必死さが伝わったのか、みんなしゅんとなり、変身が解けた。

「ごえんちゃい……」

「……ぶー……」

（ゴメンナサイ）

「……」

うなだれる子供たちの頭を一人ずつ撫でてやり、梓はもう一度スサノオに頭を下げた。

「本当に申し訳ありません。子供たちは悪くないんです。テレビと現実の区別を教えられなかった俺が悪いんです。許してください」

心臓がドキドキしている。もし許してもらえなかったらどうしよう。やっぱり罰とか祟りとかあるのかな……。

「テレビだと？」

スサノオが燃えた髪をくしゃくしゃにしながら呟いた。

「俺がテレビに出ているっていうのかよ」

「は、はい。四獣戦隊オオガミオーという特撮番組で……」

「今の感じじゃ悪役だな」

「そ、それは……」

「あんこくちんだよ！」

蒼矢が顔を上げて叫んだ。

「つおいんだよ、ばーってとーじょーしゅるの！」

「おやまからでりゅのよ！」

朱陽も叫ぶ。

「おっきくってねー、こあーいの」

（最大ノ敵、恐怖ノ大王）

白花が難しい言葉を使う。梓は頭を抱えた。

「だから……みんなやめて……」

「うはははっ」

だが、案に相違してスサノオは大声で笑いだした。

「そうか、強くて大きくて最大の敵か。嬉しいことを言ってくれるな」

えっと梓は覆っていた指の間からスサノオを見た。スサノオはチリチリになった髪をいじりながら、

「だが今のお前たちの力ではこの暗黒神スサノオはまだまだ倒せぬな。もっと修行して力をつけるがいい」

と、悪役めいた口調で告げた。その顔はいたずらっぽく笑っている。子供たちの顔が一気に輝く。

「あんこくちん、たおーす！」

「オレがやるの！」

（勝利ハ我ラに！）

「……」

子供たちはスサノオを遊び仲間と認識したらしい。そばによって抱き上げられ、きゃー

きゃー喜んでいる。

「あ、あれ？」

うろたえる梓の肩を紅玉がぽん、と叩いた。

「大丈夫や、スサノオさまはああ見えて子供好きなんや」

「さっきも本気で怒っていたわけではない」

翡翠も小声で言う。

「それにとにかく強いと言われれば機嫌のよいお方だ」

「聞こえておるぞ、翡翠。それでは俺はどこぞのサイヤ人のようではないか」

ひゃっと翡翠が頭を下げる。

え、スサノオさま「ドラゴンボール」読んでる!?

「ああ、ちょっと前にな、宮崎(みやざき)の大御(おおみ)神社でドラゴンボールが発見されたって話題になったことがあってな」

「ええっ、なんです、それ」

紅玉がにやにやする。

「まあ卵形の石ってだけなんやけど、神社にははっきりドラゴンボール言う立て札もたってな。そこアマテラスさま奉(たてまつ)ってる神社なんでスサノオさまが興味持って」

「まさかマンガ読んだんですか」

「全巻。アニメもＤＶＤで。劇場版まで制覇(せいは)されたぞ」

　ぐわ、どこのオタクだ。

　スサノオは子供たちを片手でぽいぽい放り投げたり受け止めたり、太い腕に捕まらせたりしている。

　全身がアスレチック遊具のような人だ。いや、ＳＡＳＵＫＥ(サスケ)か!?

　小さな部屋が四人の子供たちの（正確には二人の）歓声で満たされているとき、背後の布が揺れて、また別な神が一柱、現れた。

「闇龗神(クラオカミノカミ)さま」

　翡翠が丁寧に挨拶する。こちらもタカマガハラ仕様の白い筒袖の服だが、肩から長衣を下げている。見るからに高位の雰囲気だ。

「騒がしいと思ったらやはりここか」

　クラオカミはスサノオと子供たち、そして梓に冷たい目を向けた。

「四方を守る四獣の子がそのようなふざけた振る舞い、恥ずかしいとは思わないのか」

　ひやりとした物言いに梓は思わず一歩引いた。冷たい言い方は翡翠で慣れていたが、翡翠は子供たちには甘い。こんな言い方は決してしない。

「まあまあクラオカミさま、四神子はまだ孵ったばかりの子供でございますし」

紅玉がとりなそうとしたが、クラオカミはそれを無視してスサノオのそばへ寄った。

「スサノオ殿、四獣の子をおろしてください。しつけは子供のうちにこそしなくては」

「まあ待てよクラオカミ、今俺様たちは楽しく遊んでいたんだからなあ」

スサノオは子供たちをまとめて肩に乗せた。

「四獣を遊ばせてどうするんですか」

「そりゃあ強く育ててドラゴンボールを実写で再現するのさ、おっと、ハリウッド版の話はするなよ、殺すぞ」

「だれがそんなくだらない話をしていますか」

「うむ、まったくそうだ。あれはひどかったな、ひどいを通り越して悲惨だった」

「まじめにお聞きください」

スサノオはのしのしと子供たちを乗せたまま梓のもとにやってきた。

「さあ、羽鳥梓、童子(わらわ)たちを返すぞ。なかなかよく育てておる」

「あ、ありがとうございます」

朱陽がまっさきにスサノオから飛び降りて梓の首にしがみつく。

蒼矢はスサノオと拳を軽くあわせ、床に飛び降りた。白花と玄輝はスサノオの足を伝って静かに降りる。

「では俺様は失礼する。長くいるとまた姉上に叩き出されるからな」

スサノオはにやりと親指を立て、さっとその手を振った。たちまち姿が消えてしまう。

とらやの一〇個セットの袋と一緒に。

「まったく……」

残されたクラオカミはきっと梓を振り返る。

「お前が仮親の人間だな」

「は、はいっ」

梓は棒を飲んだようにまっすぐに立った。

「翡翠から、人間が四獣を育てることになったと聞いたとき、私は反対したのだ。時間がかかってもよいからタカマガハラで孵化（ふか）を待つべきだと。やはりそうした方がよかったようだ。この子らの、この世俗（せぞく）の垢（あか）にまみれた気はどうだ？　こんなことでは四方の守りに入っても穴だらけだ」

「あ、あのクラオカミさま。子供たちが成長するまでまだ時間がかかりますし……」

紅玉がフォローしてくれる。だが、クラオカミは首を振った。

「人界（じんかい）で育てばとりこむ気は育ての親の気だけとなる。その人間の気がよどんでいないとどうして言える。現にこやつはいま卑屈（ひくつ）な気ばかり放出しているではないか」

「クラオカミさま。クラオカミさまのように頭ごなしに否定されれば誰だって怯（おび）えます」

翡翠が静かに言った。梓は驚いて翡翠を見た。

「羽鳥梓は脆弱な人間ではありますが、少なくとも四神子の前では正しくまっすぐであろうとしています。完璧な人間より、自分の弱さも知って、それを正そうとする人間の方が、その意志の方が、神子たちにいい影響を与えるのではありませんか？」

翡翠は手を後ろに、まっすぐクラオカミを見つめて言った。いつも翡翠からはきつい言葉を言われている梓は、彼の言葉にただ驚いていた。

「翡翠、貴様私に口ごたえするか」

クラオカミは大股で翡翠に近づくと、いきなりその手を振りあげた。

――――バシッ。

翡翠の眼鏡が飛んで床に落ちた。いきなりのことに神子たちは驚き怯えて固まった。白花の目に涙が浮かぶ。

「な、なにを……」

梓が思わず駆け寄ろうとしたとき、その梓より先に動いたものがいた。

「玄輝、」

玄輝が翡翠の前に立って両手を広げている。目はあいかわらず半分しか開いてないが、しっかりとクラオカミを見つめていた。

「……ふん、玄武は水の性だからな、翡翠に近しいか」

クラオカミは口を曲げ、いまいましげに翡翠と梓を睨みつけた。

「今日は玄武の顔を立ててやろう。だが、私はいつまでも四獣を人間の元においておくのは反対だ。アマテラスさまにも申し上げておくからな」

そういうとクラオカミは入ってきた布を乱暴にまくりあげ、外へ出ていった。

「わっ」と子供たちが翡翠に駆け寄った。

「ひーちゃ、いたいいたい？」

（カワイソウ）

「やなやちゅ！　いーだっ！」

玄輝が床に落ちた眼鏡を拾い上げ翡翠に差し出した。

「ありがとう、神子たち」

翡翠はスーツの膝をついて四人を見つめた。

「大丈夫ですよ。ぜんぜん痛くありませんから」

「翡翠さん、あの、」

梓は近寄って頭を下げた。

「すみません、俺のせいで」

「なぜお前のせいなのだ、羽鳥梓。私は事実を述べただけで別にお前を庇ったわけではない、思い上がるな」

「でも、」

「まああ梓ちゃん、ここでそんなに翡翠をいい人扱いしたら、こいつ恥ずかしくて溶けて消えてまうわ。そのへんにしといたり。なんだっけ、こういうの、」

紅玉がにやにや笑いながら額に指を当て、

「そうや、ツンデレや。ツンデレちゅーもんやし」

「だっ、だれがツンデレだ！」

翡翠は真っ赤になって紅玉に食ってかかった。

「だいたいこういうときはお前が何か言うべきだったろうが！」

「俺、火の性だから水の性のクラオカミさまとは相性悪いさかい」

「なんだ、相性って！」

紅玉は笑って翡翠の肩を叩くと、梓を振り返った。

「梓ちゃんもしょんぼりしいな。梓ちゃんががんばっていることは、誰よりも神子たちが知っとるで。自信持ってええよ」

「はい……」

そうは言われても、クラオカミの言葉が心に重く、蓋となってふさがれた気分の梓だった。

二

ちょっと気分転換してきなよ、と紅玉に言われ、梓と子供たちはタカマガハラの緑の森にいた。

タカマガハラ全土が白砂を敷き詰めてあるのかと思ったら、それはアマテラスのいる宮城前だけらしい。

「この森は危険な獣もおらんし、それほど深くないから、子供たちもピクニック気分で遊べる思うよ」

連れてきてくれた紅玉は今はいない。アマテラスに呼ばれて宮城へ戻っていった。今は梓と神子たちだけだ。

「はあ……」

梓は緑の草の上に腰を下ろした。すぐそばでは白花が花を摘んでいる。近くで朱陽と蒼矢が追いかけっこをして、玄輝はいつものように眠っている。

「はあ……」

もうひとつため息。

紅玉は気にしなくていいと言ってくれたが、一度落ち込んだ心は容易に浮き上がりはしない。

いつだって自信満々で子育てしているわけではない。こうしていいのかな、ああすればよかったな、こんなときどうしよう、と毎日悩みながら過ごしているのだ。

その悩みが淀みになると言われたら、今はかなり濁っているのではないだろうか。

「ほんとに俺でよかったんですか……アマテラスさま……クエビコさん……」

今更ながら自信がなくなる。

世の中のお母さんたちは不安になることはないのだろうか？　改めて自分を育てた母親の偉大さを思い知るばかりだ。

（あずさ、カナシイノ？）

ふわり、と頭に何かが乗った。白花が摘んだ花で冠を作ってくれたのだ。

「ああ、大丈夫だよ。白花すごいね、これどうやって作ったの？」

花冠を手にとって眺めると、白花は恥ずかしそうに微笑んだ。

（まどなチャンノままガオシエテクレタノ）

「へえ」

白い花の間に薄いピンクの花や黄色い花が適度に混ぜてあり、美しい配色になっている。

白花は器用なだけでなくセンスもよかった。

「ありがと、白花」

梓が言うと、白花が黙って抱きついてきた。小さく細い体なのに、まるで梓を包み込むように抱いてくれる。

「あじゅさー！」

ばさっと背中に朱陽の熱い体温がぶつかってくる。

「ねーねー、あっち、いこ。いーにおいしゅるのー」

きれいに編んであった髪が今はもうくしゃくしゃだ。飾りもいくつか無くしているようだった。

「いい匂い？」

「ん、いーにおいなのー、いこ！」

朱陽が梓の手を取る。梓は反対側の手で白花と手をつないだ。

「蒼矢、玄輝を起こして」

「やーの！」

「みんなであっち行くよ。玄輝置いていったらかわいそうだろ」

「ぶーだ」

蒼矢は一人で先に駆けだしていった。仕方なく梓は白花の手を離して玄輝を抱き上げる。

「白花、蒼矢を追いかけてくれる？」

白花はこくんとうなずくと、駆けだした。実は白花はこの中のだれより足が速い。それに金の気の白虎は木の気の青龍に強い。

「さあ、行こうか」

歩きだしてしばらくすると、朱陽の言ったようにいい匂いがしてきた。甘い果実の香りだ。

「そういえばこっちには果物がたくさんなっているって紅玉さんが言ってたな」

神子たちは白米が主食だが他のものも食べられないわけではない。ちっとも栄養にならないが甘いお菓子やスナックやアイスクリームも好きだった。もちろん果物も大好物だ。

「あ、ほんとだ。リンゴがなってる。わっ、向こうは桃だ」

いろんな季節のいろんな果物がいっせいに実っていた。さすがは神の国。節操がない。

「夢のようなところだなあ……」

ここが本来神子たちが棲む世界なのだ。ここに比べれば、なるほど人界は大気汚染や水質汚染、添加物だらけの食べ物に争う人々と、汚れて見えるのは仕方がない。

「やっぱり、子供たちはこの世界で暮らす方がためになるのかもしれない……」

自分のため息さえ灰色に見えた。

「あじゅさー、だれかいりゅよ」

朱陽が手を引いて教えてくれた。

顔をあげると確かに目の前の大きな木の枝に誰かがいる。ぷらん、と片足が枝から落ちていた。

真っ赤な爪が褐色に素足に映えている。金色の輪がいくつも足首に巻かれていて、どうみても女性の足だった。

木の葉が茂って腰から上が見えない。しゃくしゃくと何かを咀嚼する音が聞こえた。

果実を食べているのか……。

ぷっと音がして、何かが吐き出されたか、地面に落ちてきた。それは真っ赤な……。

「え？」

骨？

地面に落ちたのは真っ赤な血だ。その中に白い小さな骨が見える。

「ええっ⁉」

葉群ががさりとのけられ、陰にいたものの姿が見えた。

「……ひっ、」

梓は思わず朱陽の手を握りしめた。

それは女の鬼だった。口からあご、ふくよかな胸まで血に染め、片手に子供の首を持っている。つりあがり白濁(はくだく)した目に額をつきやぶって血塗(ちまみ)れになった角、するどく尖る牙、剛毛の生えた真っ黒な腕。

「うわああっ！」

（あずさ？）

念話が入ってきた。振り向くと蒼矢の襟首を掴んだ白花が立っている。

「し、白花っ！　逃げて！」

叫ぶとこわばっていた体が動いた。梓は朱陽の手をひっぱり、玄輝を抱いて駆けだした。

「逃げろ！　逃げるんだ！」

ガサリと葉の揺れる音。鬼が枝から飛び降りたのか。

「早く！」

なにが危険な獣はいないだ。獣はいなくても鬼がいるじゃないか！

走りながら梓は紅玉を罵(ののし)った。

こんな危険な森に連れてくるなんて！

「待てえ！」

背後から声が聞こえる。太い、地を這う低い声。

「ま、待てるかっ！」

目の前を白花と蒼矢が飛ぶように駆けていた。

「あ、朱陽っ！　一人で逃げられる？　その方が早い！」

「あ、あじゅさ……」

朱陽が顔をくしゃくしゃにして泣き出す。

「やーの！　あじゅさといっちょなの！」

「朱陽、頼む！　逃げて紅玉さんたちに助けを求めて！　このままじゃ玄輝が食べられちゃうよ！」

「うー」

朱陽はいやいやと首を振った。

「朱陽、お願い！」

そのとき、首の後ろをむんずと捕まえられた。

「待てと、言っておろうが！」

「うわあっ！　離せっ！　やめろっ！」

梓は朱陽と玄輝を抱いて地面にうずくまった。

「子供たちは助けてくれ！　俺を食っていいから、子供たちは！」

「誰が子供を食う、だ！　誤解だ！」

低く、錆（さび）ついて聞こえていた声が、くっきりと鮮明に聞こえた。

「落ち着いて深呼吸しろ、ぬしは見誤っているぞ」

今はもう低くも太くもない、硬質だが女性の声だ。

梓は地面にうつ伏せになったまま何度も呼吸をした。目の前の草が自分の呼吸で揺れるのを見られるようになったときには、早鐘のように打っていた鼓動も収まっていた。

「あ、の……」

おそるおそる振り返ると、そこには漆黒の髪と褐色の肌を持った女性が膝をついていた。胸や服に赤いものはついているが、それは先ほど見たような濃い色ではなく、薄いものだ。

女性には角(つの)も牙もないし、目もきりりとしたアーモンド型で、大きな黒目が梓を見つめている。

女の鬼ではない、エキゾチックな雰囲気の美女だった。

「あ、あれ……」

「ようやく落ち着いたか」

女性は立ち上がると梓の腕を引いて立たせた。そばでは朱陽が玄輝を抱いて梓を見上げている。

「あじゅさ、だいじょぶ?」

「あ、ああ。大丈夫だよ、朱陽」

(あずさー)

先に逃げていた白花たちも戻ってきた。

「白花、蒼矢」

駆け寄ってきた二人をぎゅっと抱きしめる。白花は抱き返してくれたが蒼矢は体をねじっていやがった。

「あ、あの、すみません。なんか、失礼なことを。どうしてこうなったのか……」

「ぬし、何か悩んでおっただろう」

女性がふくよかな胸の前で腕を組んだ。

「負の感情、負の気が、わっちの陰を引き出し、それを映し出してしもうたのよ」

「か、陰？」

「わっちは鬼子母神。主が見たのはわっちが帰依する前の鬼の姿よ」

鬼子母神ははあっと重いため息をついた。

「わっちは今でこそ、子育ての神となっておるが、仏に諭される前は主が見たように赤子を食う鬼じゃった。わっちが殺してしもうた子供たちには、いくら償うても償いきれぬ。そんな過去をお主の負の力が引き出してしもうた……わっちは永劫、あの子供たちに詫びねばならぬ」

「お、俺の負の力？」

「ぬしゃ人間であろう？　人間のもつ力はこのタカマガハラでは正であろうと負であろうと増加させられるのじゃ」

「そうなんですか……」

「ああ、しかし、なにもしらぬ若者に引き出せるほど、わっちの罪業(ざいごう)は深く重いのじゃな。子育ての神と祭り上げられても所詮(しょせん)、鬼よ、悪魔よおおおっ！」

鬼子母神はいきなり手近な木にがんがんと頭をぶつけはじめた。

「わああっ！　やめてください、すみませんすみませんっ！　俺が負の気をまき散らしたばっかりに」

鬼子母神は血の涙を流しながら頭を打ちつけ続ける。木の方がミシミシと揺れ始めた。

「だめじゃあああっ！　わっちは自分を罰しなければならぬううううっ！」

「やめやめやめ……わああ、子供たちが怖がってますからやめてえええっ！」


なんとか落ち着いた鬼子母神は（額からダラダラと血を流していたが）、自分の子供たちのいる場所に案内してくれた。

そこは柔らかな草に覆われた台地で、きれいな水と空気があり、花が咲き、鳥や虫や獣たちがいた。そこでは蛇やアメリカシロヒトリでさえ子供たちの友達だった。

「一緒に遊んでやってくれ」

鬼子母神はそういうと、自分の衣の中からごろごろと果実を取りだした。

さっき木に登っていたのは子供たちにザクロをとっていたためだという。

鬼子母神の預かっている子供たちは七歳になる前に死んだ子供たちで、彼らは神の国でしばらく過ごした後、輪廻（りんね）の輪に入るのだ。

「毎日毎日子供らを見送るが、毎日毎日新しい子供がやってくる」

鬼子母神は切なげに赤ん坊を抱き上げた。

「子供の死なない世界は作れないものかのお、羽鳥梓」

「そうですね……」

神子たちはもう子供たちの中に入って遊んでいた。神子たちの大好きなオーガミオーを知っている子も大勢いて、つまりそれは今年亡くなった子供だというわけだ。

「あ……」

梓の元に蒼矢が一人の男の子を連れてきた。それはこの間会った〝よしくん〟だった。

「よしくん、ここにいたの」

よしくんはこくんとうなずき、梓のそばに寄ると口元に手をやった。

「なあに?」

梓が膝をついて耳を傾けると、その耳に口を寄せて、

「ママのこと、ありがと」

と囁く。

「俺はなにもしてないよ。よしくんのママが自分で決めたことだよ」

よしくんは嬉しそうに笑うと、また蒼矢と手をつないで遊びの輪に戻っていった。

「子供はその存在だけで神のようなものだ。子供の笑顔を見れば心が晴れる、癒される。そうは思わぬか、羽鳥梓」

赤ん坊に乳（ちち）を含ませながら呟く鬼子母神に、梓はうなずいた。

「そうですね、その通りです」

青い空から何かがきらきらと降りてきた。その光は遊んでいた子供の上に降りると、その子を包んでまた空に戻っていく。

「子供が輪廻の輪に入った」

光は空高く消えてゆく。

「再びあの子が幸せな生（せい）を得るように」

鬼子母神が指を組んだ。梓も祈る。子供が死なない世界、本当にそんな時代がくればいい……。

「きゃあっ！」

歓声ではない、恐怖に満ちた悲鳴が響いた。

三

　はっと目をあけると、台地を囲む森の木立の間から、どすぐろいもやのような、いや、厚みのあるコールタールのようなものがにじみだしてくる。それは近くの子供たちをたちまち飲み込んだ。

「な、なんなんですか、あれは！」

　梓の言葉に応えるより早く、鬼子母神がそのコールタールに飛びかかり、鋭く伸びた爪で引き裂いた。中からぐったりしている子供を救い出す。

「羽鳥梓！　子供たちを避難させてくれっ！」

　鬼子母神に言われ、梓は訳も分からず、子供たちを自分の方へ呼び寄せた。コールタールは鬼子母神の横をすり抜け、別な子供を狙う。

「させるかっ！」

　鬼子母神の爪が一閃した。

　コールタールは引きちぎれたが、それは再び蠢きだした。

「おのれっ、タカマガハラでこんな暴挙を……っ」

コールタールが鬼子母神を襲う。鋭い爪を押し包まれ、鬼子母神が怒りの呻きをあげた。

「鬼子母神さんっ！」

「羽鳥梓っ、逃げろっ！　子供たちを……っ」

鬼子母神が飲み込まれた。

梓は子供たちを水の流れる小川の方へ走らせた。

「誰かっ！　誰か助けてくれっ！」

声の限りに叫ぶと応えがあった。

「梓ちゃんっ！」

「羽鳥梓！」

紅玉と翡翠だ。森の木立を越えて飛んでくる。

「紅玉さんっ、翡翠さんっ！」

コールタールがぐっと体を持ち上げ、黒い触手を空に伸ばす。紅玉はそれを避けると空中に炎の矢を作り出した。

「くらえっ！」

矢はコールタールに刺さり、そこからチリチリとあぶってゆく。

「だめだ、紅玉さん！　中に鬼子母神さんがいる！」

「なんやて?」

翡翠の水がその矢を吹き飛ばした。

「あじゅさーっ!」

朱陽が叫ぶ。見ると何人かの子供たちがまとめて飲まれるところだった。

「やめろーっ!」

梓はコールタールの中に飛び込むと、かきわけて子供たちを引き上げようとした。

(……い、……)

何か声が聞こえた。

(こわ……い、こども……おそろ……し……)

体中にまとわりつく黒いコールタール。それの声、いや、念だ。

「なんだっ、お前、誰だ!」

梓は叫んだ。

「子供が怖いって、なんだよ!」

(怖い……子供がわしを殺す……殺される前に殺してやる……)

言葉と一緒に脳裏に浮かぶのは、――あれは誰だ。

金色の王冠をかぶり、四角い髭(ひげ)をはやした立派な王様。その王が兵士たちに命じて子供をさらっていく。そして集められた子供はつぎつぎと穴に投げ込まれ、油をいれられ……。

すぐ近くで声がした。鬼子母神だ。両脇に手を入れられコールタールから引き上げられた。

「羽鳥……っ、梓っ！」

梓は悲鳴を上げた。がばっとコールタールのうねりの中から顔を上げる。

「やめろーっ！」

「鬼子母神さん、ご無事で！」

「羽鳥梓、こいつは人間じゃ」

鬼子母神は木の枝に梓を引き上げ、下を流れる黒いうねりを見やった。

「紀元前七年、占い師にその年生まれた子供が自分を殺すと告げられ、国中の子供を殺した男」

「それって……」

聞いたことがある、確か――。

「ヘロデ王！」

「ヘロデ王じゃ」

鬼子母神が自力脱出したのを見た紅玉と翡翠が炎と水でコールタールを攻撃している。だが、水で弾かれ、炎で溶かされながらもコールタールの勢いは止まない。

「どっちでもいいですよ、なんでそんな昔の、しかも外国の人がここにいるんです！」

「ヘロデの魂は輪廻の輪に入れなかったのじゃ。なぜその魂がここに現れたのかはわからぬ。しかし、ヘロデの負の念がこの黒い流れになっていることは確かじゃ」

「輪廻の輪から……はずれる？」

閃光のように思い出した。卵から孵ったばかりの神子たちをさらった魔縁天狗。魔縁という六道を外れ輪廻から外れた存在。

「まさか、これも魔縁と同じで神子たちを狙って……」

鬼子母神が枝を蹴って飛び出した。コールタールが襲おうとした子供たちを抱きかかえ、近くの木に飛び上がる。

「紅玉っ、キリストを呼んできてこれをどうにかさせろっ！」

鬼子母神が空を見上げて叫んだ。

「い、今すぐは無理ですよ～！」

「二〇〇〇年以上も凝り固まった負の念、あいつでなければどうにもできんだろうがっ！」

梓のそばに翡翠が降り立つ。

「大丈夫か！」

「大丈夫です、それより子供たちは？」

「四神子は自分たちで結界を張り、他の子らを守っている」

翡翠の示す方を見ると、真っ黒なコールタールの中で明るく輝いている場所があった。

そこには子供たちがかたまっていて、その四隅に神子たちが座っている。赤青白鈍色と輝くあの光は四神子の結界だ。

梓はほっと息をついた。

「翡翠さん、このコールタールみたいなもの、どうにかならないんですか？　神様の力でぱーっとやっつけるとか！」

梓は翡翠を振り向いて怒鳴った。

「……これは人間の負の念だ。タカマガハラでは人間の念は強化され、倍増する。その念は時には神さえ凌駕(りょうが)する」

そういえばさっき鬼子母神もそう言っていた。

「翡翠さん、これ、あの魔縁天狗と同じじゃないかと思うんです」

「魔縁と？」

「鬼子母神さんはこれはヘロデ王の魂で、その魂は輪廻を外れたと言ってました。六道を外れたものは外道に落ちて魔縁になるんでしょう？　こいつ、神子たちを狙ってるんだと思うんです」

「そうか！」

翡翠は空を見上げた。

「魔縁ならば専門家がいる。すぐに天狗たちを呼ぶ」

「それより、」

梓は神子たちが守っている子供たちを指さした。

「人間の念の力が強いのなら、あの子たちの力を借りましょう」

「なに？」


梓は翡翠に抱き抱えられ、神子たちの作る結界の上空へと飛んできた。

「朱陽っ、蒼矢っ、白花っ、玄輝っ！」

叫ぶと四人の神子たちが顔を上げる。

「あじゅさー！」

「あじゅさっ！」

（あずさ！）

「……」

子供たちが立ち上がって手を振る。

「みんな、変身だ。チェンジ、オーガミロボ！　発進！」

梓がそう叫んだ瞬間、神子たちの姿が変わった。

「はいあーばーど！」

「うるーどあごん！」

（ほわいとたいがー！）

「……！」

結界を張りながら神子たちは小型の四獣メカに変わる。

「オーガミオーだっ！」

「オーガミロボだっ！」

子供たちの間で歓声が起きた。やはり小さな子供たちはこの番組を見ていたのだ。

「みんな、オーガミロボを応援して！」

梓の声にみんなが口々にオーガミロボの名前を叫ぶ。番組を見ていない子供たちも、目の前で親しみのあるデザインのロボットが動いていれば興奮した。

応援を受ける、そのたびに四獣ロボの姿が大きくなった。

「合体だ！」

梓の声で四獣が合体してロボットに変形した。歓声がひときわ大きくなる。その声に応えるようにロボはどんどん巨大化していった。

「いいぞ、もっと大きくなれ！」

梓は両手を口に当てて叫んだ。背後で翡翠がひきつった顔をしているが気にしない。

ロボはついに森よりも大きくなった。その姿はタカマガハラのどこからでも見えるだろう。

「ロボ！　そのまっくろけを捕まえろ、結界を張ってそこに閉じこめるんだ！」

梓の声に、超巨大ロボは地面をのたうつ黒いコールタールを大地や木々とともにすくい上げた。

その手からすり抜けようとしたものは、風と水が吹き上げ、地面に残ったわずかなものも炎で焼かれて溶かされる。反撃をくわだてようとしたものには雷が落ちた。

「うわあ……派手やなあ」

子供たちの結界のそばに降りた紅玉がげらげらと笑った。

「あれは……なんだ？　ヨツンヘイムの巨人か？」

鬼子母神の言葉に紅玉は首を振った。

「日本の誇る玩具メーカーの最新作ですわ」

ロボはコールタールを結界の中に閉じこめ、それをぐいぐいと手で握り固めていった。やがて玉ごろがしの玉くらいの大きさになったものを地面にそっと置く。

「よーし、もういいよ。みんなパージアウト！」

梓の声でロボは分離し四獣メカになる。それが徐々に小さくなって、やがてメカの形から四獣そのものへと変化し、そしてもとの子供たちになった。

「やったー！」

梓は翡翠の腕の中で歓声をあげたが、翡翠は声もなく、ふらふらと地面に降りた。

「あ、あれ？　翡翠さん、どうしたんですか？」

真っ青になっている翡翠を振り向いて梓が尋ねると、

「き、きさま……神子たちになんということを……あんな人間の物欲の象徴に……」

「やっつけたんだからいいじゃありませんか」

「きさまきさまきさま……」

ぶつぶつ呟いている翡翠を置いて、梓は四神子に走り寄った。

「みんな、すごかったよ！　立派だったよ！」

「あじゅさー！　みてたー？　はいあーばーど！」

「見てたよー、かっこよかったねー！」

「うるーどあごんのほうがかっこいいもんっ！」

「うんうん、ブルードラゴンもすごくよかったねー！」

（ほわいとたいがー　ガンバッタ）

「見てたよ、ほんっと頑張ったね！　いい子だね！」

「……」

「ああ、もう、玄輝もすごかったよ！」

梓は子供たちを抱きしめた。目元と胸が熱くなる。

無事なことがうれしく、また彼らが立派に戦ったことが誇らしく、もう言葉もでない。

ただただぎゅうぎゅうと抱きしめ続けた。


やがてバサバサと羽音がして、天狗の一団がやってきた。

「よーう、兄ちゃん」

先頭にいたのはやはり示玖真（しぐま）だ。

「示玖真さん」

「すげーな、ガキどもだけでやっつけたってな」

「はいっ、みんな頑張りました！」

梓が子供たちを振り返ると、みんないっせいに両手をあげて歓声をあげた。

「おー、そうかい、えらいえらい。で、これがその魔縁か」

「はい、こないだの天狗とは違いますが、やっぱり輪廻を外れたというものらしくて」

「あーこないだのやつなー」

示玖真は仲間の天狗にコールタールの固まりを鎖で縛らせながら言った。

「あいつからなんとか聞き出したんだが、外道のやつらが人界を滅ぼして自分たちの国を作ろうとしてるらしいんだよ」

「まあそんなことできっこねえんだが、やつらかなりマジでな、その国の守護のために四神子をほしがっているらしい。この外道もそのためにタカマガハラに送り込まれたんだろう」

「ええっ？」

「送り込まれたって、ここ神様の国ですよ？　いったいどうやって」

示玖真はバリバリと堅そうな髪に指をつっこんでかいた。

「まあ大きな声じゃ言えねえが……家の鍵を外すには内部からだな」

「それって」

「タカマガハラに裏切り者がいるってわけよ」

示玖真は耳打ちすると仲間たちの方を振り向いた。

「よーし、引き上げだ。こいつは俺らのところで管理する。気をつけて運べよ」

鎖が持ち上げられ、コールタールは空へとあがった。

「兄ちゃん、気をつけろよ。外道のやつら、これからも四神子狙ってくると思うからな」

「示玖真さん」

「俺らも注意しとくがな」

天狗たちの姿がみるみる小さくなる。凶々しいあの黒い固まりは小さくなってもまだ不穏な空気をまき散らしていた。

「羽鳥梓」

　声をかけられ振り向くと、アマテラスと車椅子に乗ったクエビコがいる。梓の横で翡翠と紅玉が地面に膝をついた。

　自分もひざまづいたほうがいいのかな、と梓は思ったが、機会を逃して立ったままだ。

「紅玉、翡翠、それに鬼子母神殿、ご苦労だったな」

　鬼子母神は首を振った。

「いえ、わっちはなにも。この二人と人間に助けられました。それに子供たちに」

「うむ、子供たちの活躍はわたしも見ておった。すばらしい働きだった」

「見――見ていたんならどうして……っ」

　助けにきてくれなかったんですか、という梓の言葉は、紅玉と翡翠の手で止められた。

「すまぬな、羽鳥梓。わたしが動くと太陽の動きに影響がでるのだ」

「た、太陽ですか」

「うむ、こんなことがあるならスサノオを引き留めておけばよかったの……あやつめ、とらやの羊羹(ようかん)を独り占めして帰りおって」

　それも知ってたのか、どっちかというと羊羹の方が惜しいような言い方だ、と梓は思った。

　アマテラスはぐるりとあたりを見回した。

「それにしても……派手にやっつけたものだ」

　言われて梓も改めて周囲を見回した。

　巨大ロボが根こそぎもっていった、森のあった部分は赤土がむき出しになり、生え残っている木々も焼け焦げ、あるいは折れ、倒れている。まるで一帯が大地震でもあったかのようだ。

「ちょーっとばかり被害が甚大だの」

「あ、す、すみませ……」

「まあしかし、四神子が奪われんでよかったちゃ」

　クエビコが車椅子を操作して神子たちのそばにくる。今気づいたがクエビコの車椅子は電動式だ。

「えらかったのう、みんな」

　ほめられて神子たちはうれしそうに笑った。

「しかし、羽鳥梓、それに四神子よ。タカマガハラにこれだけの被害を与えたことに、ほかの神々からクレームが出ておる」

「えっ……」

アマテラスの言葉に真っ先にあのクラオカミの姿が思い浮かんだ。

「申し訳ないが、しばらくのあいだ、そなたらはタカマガハラに出禁となった。許せよ」

「え？　あ、そ、それだけでいいんですか？」

「うむ、本来なら四神子にはタカマガハラの神気をもっと吸わせたいのだがな。申し訳ない、成長が遅れるやもしれぬ」

「あ、いえ。それでしたら別に……」

よかった、と梓は胸をなで下ろした。子供たちを取り上げられるのではないかとひやりとしたのだ。

「外道どもが四神子を狙っておるとも聞いた。人界でも我らが見張るゆえ、お前も気をつけておいてくれ」

「はい――」

アマテラスさまは知っているのだろうか、と梓は思う。シグマの言っていた裏切り者、それがこのタカマガハラにいるかもしれないと。

クエビコの方をそっと伺うと、軽く笑って片目をつぶられた。やはり知っているのだろう。しかし世界のすべてを知っている神でも、案外身内のことはわからないのかもしれない。

「それにしても羽鳥梓」

「はい？」

「四神子にその、トクサツというものを見せるのは、少し控えめにした方がいいかもしれぬの」

「うわっ、は、はいいっ！」

ぺこぺこと頭を下げる梓にアマテラスは微笑んだ。

「では羽鳥梓、それに四神子。人界へ送ろう」

アマテラスの領巾（ひれ）が振られた。梓は目を閉じ、そして目を開けて元のアパートへ戻ってきた。

終

「ちぇんじっ、うるーどあごんっ！」

「ちぇんじっ、はいあーあーど！」

「わーっ！　蒼矢、朱陽！　もう変身しないって約束しただろー！」

相変わらずオーガミオーのBパートでロボが出てくると一緒に変身してしまう。

　白花と玄輝は変わらないが、蒼矢と朱陽は競うように変身してしまう。

「だあってー、ちぇんじってきくとーひとりでにへんしんしゅるのー」

「ヤダヤダヤダ！　うるーどあごんになんの！」

　バサバサと朱陽は飛び回り、ぐるぐると蒼矢は回転する。

「だぁめ！　お友達はだれも変身しないだろう！　朱陽や蒼矢が変わっちゃったらびっくりするよ、遊んでくれなくなるよ？」

「へーきだもんっ」

「こんどユーショーくんたちと一緒におうた歌いにいくんだろう？　行けなくなっていいの？」

「ヤダッ！」

「じゃあ降りて。元に戻って」

　二人はしぶしぶ畳に降りると変身を解いた。

「よしよし、いい子だね、蒼矢も朱陽も」

　ぶーっと頬を膨らませている蒼矢をつっくと、ぷいっとそっぽを向く。

「こんにちはー梓ちゃーん」

　玄関で紅玉の声がした。

「あー、こーちゃん、ひーちゃん！」

四人の子供たちがパタパタと玄関に駆けてゆく。

「おーいつも元気やねー」

抱きついてくる子供たちを、紅玉が抱き上げた。

「こんにちは、紅玉さん、翡翠さん」

梓が挨拶するとその顔の前に封筒がつきつけられた。

「な、なんですか、翡翠さん」

翡翠の押しつけるＡ４サイズの封筒を受け取り、封を開けると、そこには「権利書」と書いたものが入っていた。

「え？　なんです、これ」

「喜んでなー、梓ちゃん。このアパート出て一軒家に住めるんやで」

紅玉がにこにこしながら言う。

「えっ？」

「子供たちがこれだけ走り回ったんじゃ、このぼろアパート壊れてしまうわ。だから、ちっとやそっとじゃ壊れんような頑丈(がんじょう)な一軒家を探したんや」

「え、で、でも一軒家を借りるようなお金は」

「誰が借りるだ。買ったのだ、購入したのだ。だからこその権利書だ、ばかものめ」

翡翠が権利書をぐりぐりと顔に押しつける。

「か、買ったって、と、東京に家を!?」

「まあ少し駅から遠くて古いが、同じ池袋だし、庭付きの一戸建てだ」

「す、すごい！」

夢のようだ、と梓は思った。東京に家を買ったと言ったら母親はどんなに驚くだろう。田舎では家を建てないと一人前とみなされないのだから。

「これでいくらオーガミオーごっこしても大丈夫やで」

紅玉がそう言ったとたん、子供たちは飛び上がった。

「やったー！」

「へんちん、ちていいのー？」

(ちぇんじデキルノ？)

「……！」

玄輝まで無言で拳をクロスさせている。

「わあっ、だめですよ。やっと変身しないよう言い聞かせたのに！」

「ありゃりゃ」

「ありゃりゃじゃない……わあ、今は変身しちゃだめーっ！」

朱雀と青龍と白虎と玄武がいっせいに部屋の中に出現する。その勢いに部屋がぶわっとふくれあがり、本棚が倒れ窓が弾けた。壁にひびが走り出す。

「あああっ！　敷金があああっ！」

梓の悲鳴がこだまする。

日本の、東京の、豊島区の、東池袋の、小さなアパートで。

今日も神様たちはひっそり元気にしっかりと、成長しているのだ。

コスミック文庫α

神様（かみさま）の子守（こもり）はじめました。

2022年10月25日　初版発行

【著者】　霜月（しもつき）りつ

【発行人】　相澤　晃

【発行】　株式会社コスミック出版
〒154-0002　東京都世田谷区下馬 6-15-4

【お問い合わせ】　一営業部一　TEL 03(5432)7084　FAX 03(5432)7088
一編集部一　TEL 03(5432)7086　FAX 03(5432)7090

【ホームページ】　http://www.cosmicpub.com/

【振替口座】　00110-8-611382

【印刷／製本】　中央精版印刷株式会社

ISBN978-4-7747-6426-9 C0193